Mohammad, ma mère et moi

DU MÊME AUTEUR

Yellow Cab, Flammarion, 2017.

Benoit Cohen

Mohammad, ma mère et moi

récit

Flammarion

À ma mère

« Peut-être sentez-vous confusément que votre sort est lié à celui des autres, que le malheur et le bonheur sont deux sociétés secrètes, si secrètes que vous y êtes affiliés sans le savoir et que, sans l'entendre, vous abritez quelque part cette voix qui dit : tant que la misère existe, vous n'êtes pas riches, tant que la détresse existe, vous n'êtes pas heureux, tant que les prisons existent, vous n'êtes pas libres. »

Chris Marker

PROLOGUE

Ma mère attend Mohammad.

Qui ça ?

Mohammad, le réfugié qui va habiter à la maison. Elle répète son prénom : Mohammad.

Le réfugié qui va habiter à la maison ?

Elle pensait m'en avoir parlé.

Non, je m'en souviendrais.

Elle a déposé un dossier dans une association, le mois dernier. Ils l'ont contactée hier. Elle l'a rencontré dans un café cet après-midi. Elle l'a trouvé charmant.

Pourquoi ne m'a-t-elle rien dit ?

J'ai beau habiter de l'autre côté de l'Atlantique, j'aurais aimé qu'elle me consulte avant de prendre une telle décision.

A-t-elle prévenu mes frères ?

Non. C'était une évidence. Ce n'est pas quelque chose dont elle voulait parler, c'est quelque chose qu'elle devait faire.

J'appelle Thomas.

— Elle est complètement folle. Cela faisait un moment qu'elle en parlait mais je ne pensais pas qu'elle irait au bout.

— Il est comment ? Tu l'as rencontré ?

— Pas encore, mais elle m'a déjà demandé de l'emmener à un concert d'Alain Souchon la semaine prochaine.

Je ricane. Mon frère habite à un pâté de maisons de chez ma mère. Dès qu'elle aura besoin de quelqu'un pour s'occuper de son fils adoptif, il sera en première ligne.

— Il ne te reste plus qu'à déménager.

— À moins qu'elle ne change d'avis. Elle en est capable.

J'appelle Julien.

— Je viens d'apprendre la nouvelle.

— Mère Teresa a encore frappé. Il vient d'où ?

— D'Afghanistan.

— Ça va lui faire un choc de se retrouver dans un hôtel particulier au pied de la tour Eiffel.

— C'est quoi la prochaine étape ?

— Elle va sûrement l'épouser pour qu'il obtienne ses papiers et lui léguer la maison de campagne. « Vous êtes déjà tellement gâtés, les enfants. »

Mon frère glousse à l'autre bout du fil.

— Qu'est-ce qu'on est cons.

— Très cons.

J'ai tout entendu. Tu peux attraper les filles par la chatte. J'ai tout lu. Les Mexicains sont des voleurs et des violeurs. J'ai tout encaissé. Il faut interdire l'accès du pays aux musulmans. J'ai tout décortiqué. Pas un sondage ne m'a échappé. Des alertes sur mon iPhone qui me donnent toutes les deux heures les nouvelles tendances. J'ai tout vu. Les débats où l'homme d'affaires orange traite son adversaire de « méchante femme », les meetings où il se moque d'un journaliste handicapé, le Ku Klux Klan qui appelle à voter pour un candidat enfin fréquentable, les centaines d'heures d'émissions politiques sur CNN où tout le monde s'accorde à dire qu'il est incompétent, dangereux, qu'il n'a aucune chance de gagner. Et puis, la veille de l'élection, j'ai écouté religieusement Bill, Michelle, Barack et Hillary se succéder sur scène à Philadelphie. Un concentré d'intelligence, de clarté politique, de bonté, de générosité, d'espoir. Je me suis dit que plus rien ne pouvait nous arriver, on allait gagner, nous les progressistes, les humanistes, les libéraux… J'ai quitté la vieille Europe pour un pays en pleine effervescence où, après un Noir, une femme allait être élue pour la première fois présidente des États-Unis.

Jour J. Les premiers chiffres sont encourageants. La participation est en hausse. Les experts sont catégoriques, plus les gens se déplacent pour aller voter, mieux c'est pour les démocrates. 94 % des instituts de sondages donnent Hillary gagnante. Et même si les révélations du FBI de ces derniers jours ont sensiblement réduit l'écart entre les deux candidats, tous les voyants sont au vert.

Je pars assister à la soirée électorale chez une amie française, négociante en vin du Languedoc, dont les bureaux se trouvent au 724 Fifth Avenue, en face de la Trump Tower. Je rêve d'une large victoire et d'une sortie triomphante au nez et à la barbe des supporters du vieux milliardaire, un peu plus tard dans la nuit.

Je m'engouffre dans le métro, direction Manhattan. Il est 18 h 30, les premiers chiffres devraient tomber d'ici peu. J'essaie de consulter Internet. Pas de réseau dans le tunnel qui traverse l'East River. Pourquoi suis-je si nerveux ? Tout le monde s'accorde à dire que c'est plié, elle ne peut pas perdre. Je porte une main à ma bouche, plus d'ongles, plus de peau, tout a été rongé. J'ai peur pour l'Amérique, bien sûr, pour le monde, mais aussi pour nous, Éléonore, les enfants et moi. Nous avons fait le choix il y a deux ans de nous installer à New York pour vivre notre rêve américain, notion certes galvaudée, mais qui, dans notre cas, a pris tout son sens. Nous avons découvert à Brooklyn une nouvelle manière de penser, un nouveau style de vie, un mélange permanent de couleurs de peau, de religions, de fantaisies, une solidarité au quotidien, un optimisme contagieux. La vie ici est exaltante, il y a une joie, une énergie qui rendent l'existence plus facile malgré les inégalités sociales. C'est ça aujourd'hui qui est en jeu.

En sortant du métro au coin de la 6e Avenue et de la 57e Rue, nous nous retrouvons entourés de supporters républicains qui se dirigent comme nous vers la 5e Avenue. Ils affichent fièrement des pancartes « Merci Jésus d'avoir créé Donald Trump », « Enfin un président qui a des couilles » ou encore « Hillary en prison ». Ils sont tous coiffés de casquettes qui promettent de rendre sa grandeur à l'Amérique. Nous pressons le pas pour échapper à cette foule nauséabonde.

En arrivant dans le bureau de notre amie, l'ambiance change radicalement. Tout le monde parle français. Une immense télévision est installée dans un coin de la pièce devant une trentaine de chaises en plastique. Le vin coule déjà à flots et des plateaux de fromages trônent sur le buffet. Je salue rapidement les autres convives et m'installe devant l'écran.

Les trois heures qui suivent sont un supplice. Les États clés tombent les uns après les autres. Les commentateurs des différentes chaînes n'en croient pas leurs yeux. Ils continuent d'entretenir le suspense, mais on les sent abasourdis. Les Français, eux, boivent du corbières en mangeant du camembert. Nous sommes seuls avec Éléonore et Fernando, un ami argentin, à suivre ce désastre en direct. Des éclats de rire nous parviennent du buffet. Cette situation est absurde. Ne supportant plus ni ce que je vois à l'écran ni l'indifférence des autres invités, je propose qu'on s'en aille. Je me lève et remercie notre hôte pour son accueil. Elle me lance, hilare :

— Oh, c'est dommage que vous partiez déjà, vous ne serez pas avec nous pour fêter la victoire d'Hillary !

— Je crois que tu n'as pas bien compris. Elle est en train de perdre.

— Hahaha ! Tu es tellement pessimiste. *So French* !

En sortant de l'immeuble, nous nous retrouvons entourés de supporters trumpistes en train de célébrer ce qui ressemble de plus en plus à une victoire.

Nous décidons de marcher dans l'air frais de l'automne. Nous sommes K.-O. debout, silencieux. Qu'allons-nous faire maintenant ? Comment pourrons-nous désormais vivre dans ce pays ? Pendant quelques minutes, nous imaginons notre retour en France. Fernando nous aide à reprendre nos esprits.

— Quand on aime un pays, on ne se contente pas d'y prendre ce qu'il y a de meilleur, on doit aussi se battre quand il est en danger, assène-t-il avec son accent sud-américain.

Rester et résister, bien sûr.

En arrivant à la maison, je me branche immédiatement sur CNN. L'écart continue de se creuser. Le résultat se confirme. Van Jones, chroniqueur vedette, le visage défait, prend la parole :

« J'entends certains parler de miracle. Mais c'est un drame qui vient de se produire. C'est dur d'être un père ou une mère ce soir. On passe notre temps à dire à nos enfants : "Ne sois pas une brute, ne sois pas sectaire, fais tes devoirs et crois en l'avenir." Après ce résultat, on a tous peur du

petit déjeuner de demain matin. Comment allons-nous leur expliquer ça ?»

Je suis prostré devant l'écran. Je ne peux plus bouger. Je regarde sans voir. J'écoute sans entendre. Je pense aux années qui viennent de s'écouler. Trente ans de vie politique. J'ai vécu la génération Mitterrand, la répression des manifestations étudiantes par Pasqua, la droite rétrograde de Chirac, Le Pen au second tour, Sarkozy et sa France *bling bling*, puis je suis venu chercher autre chose ici, en Amérique, terre d'immigration, patrie du Rêve. Tout cela est en train de virer au cauchemar.

Ma mère se glisse sous une couverture en alpaga avec une pile de magazines à portée de main et allume la radio. Ce soir, le cinéaste finlandais Aki Kaurismäki parle de son dernier film : « La façon dont on traite les migrants est criminelle. J'ai honte d'être européen. Nous avons perdu toute fierté. Il y a plus de passeports dans la Méditerranée que de poissons. »

Elle sourit tristement.

Ma mère est une belle femme de soixante-dix ans. Des rides magnifiques, de longs cheveux gris et de fines mains marquées par le temps. Pas de teinture, pas de lifting ni aucune forme de maquillage excessif, tout est naturel. Quand elle était plus jeune, on l'arrêtait dans la rue pour lui demander des autographes. On la prenait pour Géraldine Chaplin. Ça la flattait, bien sûr. Une ou deux fois, pour ne pas décevoir ses « admirateurs », elle s'est laissé aller à signer le morceau de papier qu'on lui tendait. Toujours élégante, jamais prétentieuse. Seule coquetterie, ses lunettes à verres fumés et correcteurs qu'elle ne quitte jamais.

Ma mère est une guerrière. Elle a enterré quatre sœurs, un père, une mère puis son mari, mort en 2010, un soir de septembre. Ils avaient été mariés quarante-deux ans, avaient rêvé ensemble, voyagé ensemble, travaillé ensemble. Ils étaient inséparables et absolument complémentaires. Quand il est parti, elle n'a pas prié. Elle ne croit ni en Dieu ni au paradis et n'a jamais imaginé le revoir un jour. Le vide qu'il a laissé derrière lui, elle l'a comblé en profitant d'une nouvelle forme de liberté. Elle a commencé à retourner au cinéma, à voyager dans des endroits qui n'attiraient pas mon père, à voir les amis qui l'ennuyaient, à mettre des échalotes dans la vinaigrette et à écouter la radio trop fort. « Mon indépendance, qui est ma force, induit une solitude qui est ma faiblesse », disait Pier Paolo Pasolini. Aujourd'hui, elle est libre. Seule, aussi, dans cette maison trop grande pour elle. Une vaste demeure du XVIIIe siècle construite à l'arrière d'un immeuble haussmannien du quartier des Invalides. Mes parents l'ont achetée, il y a une dizaine d'années, à la suite de la vente de leur marque de vêtements pour enfants, réalisant ainsi le fantasme de mon père. Lui, le gamin de La Goulette, avait toujours rêvé de vivre un jour dans une maison bourgeoise au cœur de Paris. Ma mère, elle, n'était pas à l'aise. Trop clinquant, trop prétentieux, trop ostentatoire. J'avoue avoir moi aussi ressenti une certaine gêne la première fois que j'ai franchi la porte de cet endroit. Un escalier en pierre de Bourgogne desservant deux étages, des pièces immenses, une hauteur sous plafond impressionnante, des parquets centenaires, des grandes fenêtres donnant sur un petit jardin et de multiples cheminées. J'étais soulagé de ne jamais avoir dû y inviter mes camarades de classe. Après la mort de mon père, j'ai poussé ma mère à déménager, à refaire sa vie ailleurs, dans un endroit davantage à son image. Elle a refusé. Elle voulait rester dans ce lieu dont ils n'avaient pas assez profité ensemble. Cette maison, c'était lui, et elle n'avait pas envie de le perdre une seconde fois.

Elle baisse le volume du transistor et compose un numéro sur son portable.

— Allô, Richard, désolée de te déranger, mais Mohammad ne va pas bien.

— Qu'est-ce qui te fait dire ça ?

— Nous avons dîné ensemble. On a discuté comme d'habitude, de tout, de rien, et à un moment dans la conversation, sans raison, il m'a dit qu'il avait envie de mourir.

— Tu sais, les réfugiés ont fréquemment des pulsions suicidaires, mais, comme la plupart des gens, ils passent rarement à l'acte. Vu ce qu'ils ont traversé, ils ont plutôt moins peur de la mort que nous. Ils sont beaucoup plus résistants.

— Je te l'envoie quand même ?

— Dis-lui de passer me voir au cabinet demain après-midi.

— Et ce soir, je fais quoi ? Je le laisse dormir seul ?

— Ne t'inquiète pas, ça va bien se passer.

Mohammad écrit penché sur son bureau. Carnet à spirale. Stylo-plume.

Tout au long de l'épopée qui l'a mené jusqu'à cette chambre sous le toit d'un hôtel particulier du septième arrondissement, il n'a cessé d'écrire.

« J'ai vingt-trois ans, je mesure un mètre soixante-huit et j'ai envie de mourir. Je suis fatigué. Épuisé par ce fardeau que je traîne fermement attaché à mon cœur et qui grossit de jour en jour. Je ne veux plus de cette vie. J'ai pourtant essayé. Je me suis battu. J'ai déplacé des montagnes. Je ne me suis jamais laissé abattre. Mais, étrangement, maintenant que je suis enfin posé, en sécurité, je n'ai plus la force de continuer. Je vais me détacher de tout ce qui me fait souffrir. J'ai toujours su qu'il était plus difficile de vivre que de mourir. Dorénavant, vous ne pouvez plus rien contre moi. Je me fous de tout. Je n'ai plus à me préoccuper de ces choses qui me rendent la vie si dure. Tout ça n'existera plus puisque je n'existerai plus. »

Son regard se perd dans le vide. Par la fenêtre, il aperçoit la pluie qui tombe, les toits qui brillent, une cheminée qui fume et la silhouette de la tour Eiffel dans la pénombre.

Deux jours après l'élection, je m'envole pour Paris. Voyage prévu de longue date. Je pensais revenir triomphant. Je rentre la queue entre les jambes. « C'est ça, ton Amérique tolérante et diversifiée ? »

À l'aéroport, j'achète la presse. Je m'installe au bar de la salle d'embarquement et me commande un bourbon *on the rocks* pour me calmer. Le titre du premier magazine annonce la couleur : « L'Amérique est morte le 8 novembre ». Je passe au *New Yorker* dont la couverture affiche sobrement la flamme de la statue de la Liberté éteinte avec un filet de fumée qui monte vers le ciel. À l'intérieur, un édito de David Remnick :

« L'élection de Donald Trump est une tragédie pour la démocratie américaine, pour la Constitution, et un triomphe du protectionnisme, de l'autoritarisme, de la misogynie et du racisme. La terrible victoire de Trump, son ascension au poste de président, est l'événement le plus écœurant de l'histoire des États-Unis. Le 20 janvier prochain, nous dirons au revoir à notre premier président afro-américain, un homme intègre, digne et ouvert d'esprit, et nous assisterons à l'investiture d'un escroc qui a accepté le

23

soutien de mouvements xénophobes et des suprématistes blancs. Impossible aujourd'hui de ressentir autre chose que du dégoût et une profonde anxiété. »

Dans un autre journal, la comédienne Amy Schumer s'exprime :

« Tous ceux qui décident de faire leurs bagages sont aussi répugnants que ceux qui ont voté pour ce raciste homophobe ouvertement misogyne. Comme beaucoup d'entre nous, je suis en deuil aujourd'hui. Mon cœur a éclaté en mille morceaux. Je suis anéantie quand je pense à ma nièce, à mes amies qui sont enceintes et qui vont mettre au monde des enfants dans la société dans laquelle nous vivons dorénavant. Je suis furieuse. »

Erin Ruberry dans le Huffington Post :

« Hillary est la preuve qu'une femme peut travailler dur, devenir la plus compétente dans son domaine, et quand même se faire prendre sa place par un homme cent fois moins qualifié pour le poste. »

En couverture d'un autre magazine, une horloge digitale géante indique 3 ans, 2 mois, 3 semaines, 12 heures, 53 minutes, 58 secondes : le décompte avant la prochaine élection présidentielle de 2020.

Je décide de tout arrêter. Je ne regarderai plus CNN, je n'écouterai plus la radio et suspendrai mon abonnement au New York Times pendant quelque temps. Je jette les journaux dans la poubelle la plus proche et m'apprête à embarquer. Avant d'éteindre mon téléphone, je jette un coup d'œil discret à Facebook. Quelqu'un a posté une photo de Toni Morrison accompagnée d'un court texte :

« *C'est précisément le moment où les artistes se mettent au travail. Ce n'est pas le moment du désespoir, il n'y a pas de place pour l'autoapitoiement, pas besoin de silence, pas d'espace pour la peur. Nous parlons, nous écrivons, nous verbalisons. C'est comme ça que les civilisations guérissent.* »

Comme d'habitude, j'avale un somnifère avant le décollage, espérant dormir sans interruption jusqu'à l'arrivée. Les mots de la romancière américaine continuent de résonner en moi. Bien sûr, c'est le moment de se mettre au travail, de résister, chacun à son niveau.

Paris. Je débarque de l'avion et saute dans un taxi.

Le chauffeur, un Africain d'une cinquantaine d'années, est d'humeur bavarde.

— Vous arrivez d'où ?

— New York.

— Toutes mes condoléances.

Il éclate de rire.

— C'est notre tour bientôt, ajoute-t-il.

— Vous croyez vraiment ?

— Les gens en ont assez.

Pas la force de discuter. Je me contente de hausser les épaules. Nous sommes coincés dans les embouteillages. Je pose ma tête sur la vitre arrière et finis ma nuit.

Je me réveille une heure plus tard avenue de la Motte-Picquet. Ma mère m'accueille chaleureusement. Nous nous installons dans sa cuisine. Elle m'a préparé un petit déjeuner. Croissants, baguette encore chaude et confiture de framboises dont elle a le secret.

— Vous rentrez à Paris ?

Elle aimerait bien. Mais non, nous restons. Je lui répète ce que ma voisine, à Brooklyn, m'a confié juste avant mon départ : « L'Amérique a toujours fonctionné comme ça. Deux pas en avant, un pas en arrière, trois pas en avant, deux pas en arrière… Mais au bout du compte, on avance. » Je m'accroche à cette image.

Je décide que le moment est venu de raconter à ma mère l'idée que j'ai eue dans la nuit en ressassant les mots de Toni Morrison.

— J'aimerais écrire l'histoire de Mohammad… et la tienne, par la même occasion. Expliquer comment vous vous êtes rencontrés.

Sa réponse tombe comme un couperet.

— Cela n'a aucun intérêt. Ils sont des centaines de milliers à avoir vécu ce qu'il a vécu et moi je n'ai aucun mérite. Avec ma grande maison, mes moyens, je fais ce que tout le monde aimerait pouvoir faire. Ça n'a rien d'extraordinaire, je ne suis pas une personne héroïque, je suis juste quelqu'un de sympa.

Je beurre ma tartine en silence puis reviens à la charge.

— C'est en racontant le plus possible d'histoires comme la sienne que les gens finiront peut-être par prendre conscience qu'il y a un problème. Et non, je ne suis pas d'accord, ce que tu as fait n'est pas anodin. Je sais que tu n'aimes pas que je te dise ça, mais tu as accompli quelque chose de remarquable. Il faut que ça se sache pour que d'autres aient envie de suivre ton exemple.

Elle soupire et verse de l'eau bouillante dans la théière.
Par la fenêtre, j'aperçois Mohammad qui traverse le jardin. Je l'invite à boire un café avec nous.
Il fait la bise à ma mère.
— Bonjour Marie-France.
Nous nous serrons la main. À peine assis, il m'interroge sur les élections. Je lui raconte. Il relativise. Un accident de l'Histoire. Il en a vu d'autres.
Nous enchaînons en anglais, car il a encore du mal à mener une discussion en français. Je me jette à l'eau :
— Mohammad, est-ce que tu serais d'accord pour me raconter ton histoire ?
— Pour quoi faire ?
— Je ne sais pas encore exactement. Un livre, un film, peut-être les deux, on verra bien.
Il se fige et me dévisage en silence. J'imagine l'information circulant doucement dans son cerveau. À quoi pense-t-il ? Est-il flatté de ma proposition ? Au contraire, craint-il que je ne profite de lui ? On se connaît à peine. Nous ne nous sommes croisés que deux ou trois fois depuis qu'il habite dans cette maison. Je ne sais rien de lui. Ni lui de moi. Pourquoi me ferait-il confiance ? Ai-je été maladroit, trop frontal ? Ou peut-être a-t-il simplement peur de replonger dans ce passé que je devine chaotique ?
Après trente interminables secondes, il hausse les épaules. Je le mets à l'aise.

— Tu n'as pas besoin de me répondre tout de suite. Nous aurons l'occasion d'en reparler. Je suis là pour quelques jours.

Je change de sujet et raconte l'entrée de ma fille à l'université. Il est curieux. M'interroge sur le fonctionnement de ces fameux campus qui font rêver les étudiants du monde entier. Je lui explique que, contrairement au système français, on peut aux États-Unis s'essayer à plusieurs matières dans des domaines très différents, pendant les deux premières années, avant de se spécialiser. Lui aussi rêve de faire des études. Un jour, peut-être.

Au moment de quitter la cuisine, une idée.

— Et si tu venais me voir à New York ?

Son regard s'illumine.

J'ajoute :

— Nous pourrions joindre l'utile à l'agréable, passer quelques jours à discuter en marchant à travers la ville, prendre le temps de mieux se connaître… On décidera ensuite si l'on se lance ou pas dans ce projet.

Il sourit et me promet de se rendre dès le lendemain à l'ambassade des États-Unis pour se procurer un visa.

New York. Un rêve de gosse. Tous les films de science-fiction américains, les westerns, les matchs de boxe mythiques, les écrivains junkies, les jazzmen, toute cette musique qu'il a écoutée en boucle et, surtout, le rap.

Depuis son plus jeune âge, Mohammad est passionné de musique. Pourtant, c'est interdit dans sa famille. Il se cache pour écouter des cassettes de pop afghane qu'il emprunte à des amis. Il danse tout seul dans sa chambre. Quand il entend les imams réciter leurs versets à la mosquée, il bat la mesure dans sa tête. Les mots et le phrasé du Coran ont un rythme très musical.

Un peu plus tard, il tombe par hasard sur un morceau de rap iranien. Le chanteur s'appelle Hichkas. C'est une révélation. À partir de ce moment-là, il ne vit plus que pour ça. Il écrit, il compose, il chante, il tourne des clips… Il n'a que quatorze ans. Cela dure des années. Grâce à Internet, il a accès au hip-hop américain. À l'époque, New York est sa Mecque. Ce mouvement est né là-bas, au cœur du Bronx. Il est fasciné par le *street art*, les graffitis, la *breakdance*, le *deejaying*, les *ghetto blasters*… Il s'habille comme ses idoles avec des pantalons *baggys* extra-larges, des tee-shirts à l'effigie des équipes de la NBA et une casquette toujours vissée à l'envers sur le crâne. Il commence à se passionner aussi pour la mode, se composant des tenues de plus en plus sophistiquées. Il n'a alors qu'une obsession : traverser un jour l'Atlantique.

De retour à Brooklyn je découvre que mon chat Jalapeño a disparu. C'était un gros matou sibérien avec un nom mexicain. Il a dû prendre peur.

Réunion de crise familiale. Nous décidons d'imprimer des affichettes, d'explorer tous les terrains vagues du quartier et de faire du porte-à-porte. L'accueil que nous recevons est étonnant. Les voisins sont extrêmement concernés. Certains nous demandent sa marque de nourriture favorite pour s'en procurer afin de l'appâter, d'autres nous proposent de laisser la porte de leur jardin entrouverte au cas où il se serait échappé dans la rue, tous nous offrent à boire pour nous remonter le moral. Ici, perdre un animal de compagnie, c'est presque comme perdre un enfant... Et puis nous parlons politique. Tout le monde est sous le choc. Tim, un voisin musicien, me montre sur son téléphone portable une vidéo d'un discours que le maire de New York vient de prononcer. Bill De Blasio est sur scène devant un parterre d'hommes et de femmes de toutes sortes. Il harangue la foule :

« Voici la promesse que je vous fais en tant que maire : nous allons utiliser tous les moyens dont nous disposons pour protéger nos concitoyens. Si les musulmans sont obligés d'être fichés, nous chercherons comment bloquer légalement ce genre d'action. Si le gouvernement demande à nos policiers de séparer des familles d'immigrés, ils refuseront de le faire. S'ils veulent expulser d'honnêtes New-Yorkais sans défense, nous interviendrons en leur fournissant des avocats afin qu'ils puissent assurer leur protection et celle de leurs familles. Si le ministère de la Justice demande aux forces de l'ordre de rétablir les arrestations arbitraires au faciès, nous refuserons de suivre ces ordres. Si les subventions sont retirées au planning familial, nous ferons en sorte que les femmes en difficulté reçoivent les soins dont elles ont besoin. Si des juifs, des musulmans, des homosexuels, ou n'importe quelle autre communauté est attaquée, nous trouverons les coupables, nous les arrêterons et nous les jugerons. Ce que nous sommes n'a pas changé depuis le jour de l'élection. Nous sommes toujours New York. Somos siempre Nueva York. »

Comme la Californie, qui a demandé son indépendance, l'État de New York a décidé d'entrer en résistance. Tous les espoirs sont permis. Tout est possible. C'est peut-être le seul enseignement positif de cette élection. Tout est vraiment possible ici. Le meilleur comme le pire.

En rentrant de ma tournée du voisinage, mon esprit divague. J'imagine un couple de Français fraîchement débarqués à Brooklyn qui, ne parvenant pas à se faire d'amis, se servent de la perte de leur chat pour sympathiser avec les habitants de leur nouveau quartier. Devant l'incroyable gentillesse et la solidarité des voisins, ils décident d'organiser une petite fête chez eux pour les remercier. Alors que le vin coule à flots dans une ambiance bon enfant, le mari, très saoul, lève son verre pour exprimer sa reconnaissance à ses « nouveaux amis » et leur avoue, hilare, qu'ils n'ont jamais eu de chat. Les invités, outrés, quittent la maison les uns après les autres... Sujet pour un court-métrage ou une petite nouvelle.

À l'époque où j'étais parisien, nous nous voyions très régulièrement avec ma mère. Parfois en famille, souvent seuls. Nous aimions nous retrouver pour déjeuner ou boire un verre au coin du feu. Je lui parlais de mes projets. Elle avait toujours un avis très tranché, un ton assez péremptoire, mais souvent de bonnes intuitions. Je n'écoutais pas forcément ses conseils, mais j'aimais me confronter à sa vision des choses.

Depuis mon départ, nous nous téléphonons régulièrement.

Elle décroche à la première sonnerie.

— Tu veux que je te parle de Mohammad ? Je n'ai rien de vraiment intéressant à te raconter. Il est très secret.

— Laisse-moi juger ce qui est intéressant ou non, s'il te plaît.

— Tu as raison... Et puis ça me fera plaisir de passer un peu de temps avec toi. Tu veux qu'on fasse comment ?

— Retrouvons-nous à mi-chemin.

— ...

— D'après mes recherches sur Internet, pour être vraiment à équidistance entre Paris et New York, il faudrait qu'on se donne rendez-vous à Narsaq Kujalleq, une localité dépendant de la municipalité de Kujalleq, située près de Nanortalik, au sud du Groenland, à environ 50 kilomètres du cap Farvel. Au dernier recensement, elle comptait 88 habitants. Mais il n'y a ni aéroport ni hôtel. Du coup, je suis prêt à faire un effort et je te propose Reykjavik. 5 h 40 de vol pour moi, 3 h 45 pour toi.

— J'adore l'idée. Il fait quelle température en Islande en décembre ?

— Moins dix.

— Vendu !

La première fois que nous sommes partis tous les deux en voyage, c'était un an après la mort de mon père. J'avais décidé de l'emmener avec moi en Italie. Nous y avions passé tant de vacances en famille à déguster des *cantuccini* et du *vino santo* au Palio de Sienne, de la mozzarella grillée sur une feuille de citronnier en haut des falaises de Capri ou des *spaghetti alla bomba* au bord de l'eau limpide du golfe des Poètes dans notre restaurant préféré de la Péninsule. Depuis l'immigration de mes arrière-grands-parents de Livourne à Tunis, cette passion s'est transmise de génération en génération, et ne nous a jamais quittés. Mon fils, Aurélio, à l'âge de cinq ans, quand on lui demandait ce qu'il voulait faire comme métier quand il serait plus grand, avait coutume de répondre : « Italien ».

Ma mère ne pensait pas avoir la force de retourner dans ce pays chargé de tant de souvenirs, mais elle a fini par accepter ma proposition. J'ai sorti la voiture de mon père du garage, fait le plein d'essence, glissé un CD de Toto Cutugno dans l'autoradio, décapoté, et nous avons pris la route en direction de San Remo sous le soleil de juillet.

Une semaine à deux de Portofino à Positano en descendant, de Naples au lac Majeur en remontant. Des journées à rattraper le temps perdu, à nous remémorer nos plus beaux souvenirs, à imaginer un futur différent. Nous ne savions ni l'un ni l'autre, à ce moment-là, que je m'envolerais bientôt vers d'autres horizons. Un plaisir de tous les instants, des discussions interminables, dans ces petits restaurants de village, ces trattorias familiales que nous aimons tant, avec le fantôme de mon père à nos côtés.

Nous avons réitéré l'expérience quelques années plus tard, à la suite de mon départ pour les États-Unis, dans un hôtel des Landes.

Je me réjouis déjà de notre prochaine escapade en Islande.

Mohammad sort de l'immeuble, traverse l'esplanade des Invalides, emprunte le pont Alexandre III et se retrouve quelques minutes plus tard devant l'ambassade des États-Unis. Les portes ouvrent dans une heure, mais une longue file d'attente s'est déjà formée devant le bâtiment.

Il imagine déjà l'arrivée à l'aéroport John-Fitzgerald Kennedy, les gratte-ciel apparaissant dans la nuit depuis l'autoroute qui mène à Manhattan, les restaurants surpeuplés de Chinatown, les bars « clandestins » de Brooklyn, les cinémas du bas de la ville où on peut s'allonger en dégustant des cocktails, les peintures murales du quartier de Bushwick, souvenirs de ses années hip-hop, les promenades en bateau sur l'East River jusqu'au pied de la statue de la Liberté…

Encore une trentaine de personnes devant lui. Un policier sort du bâtiment et annonce un minimum de trois heures d'attente. Impossible. Le salon de thé où il travaille ouvre dans une heure.

— Vous venez pour quoi ?

— Pour une demande de visa. J'ai un titre de voyage et je dois rendre visite à un ami à New York.

— Pour ce type de démarches, il faut prendre rendez-vous au préalable sur notre site Internet.

Sur le chemin du retour, il compose le numéro de l'ambassade. Une messagerie vocale le guide. Il tape à répétition sur les touches de son clavier, mais, quelle que soit l'option qu'il choisit, une voix métallique répète inlassablement : « Consulter notre site Internet. » Quand il raccroche, il est déjà devant chez ma mère. Il pousse la grille du jardin, monte les marches quatre à quatre et s'installe devant son ordinateur. La sentence tombe : impossible d'entrer aux États-Unis avec un titre de voyage. Les fonctionnaires de la préfecture lui avaient pourtant affirmé qu'il pouvait se déplacer n'importe où avec ce document. Il se laisse tomber sur le dossier de sa chaise, abattu.

Il m'écrit un mail pour partager sa déception. Je le réconforte. Ce n'est que partie remise, promis. Dès qu'il aura obtenu la nationalité française, nous organiserons ce voyage. New York sera toujours là. Et mon retour au bercail n'est pas d'actualité.

Je me renseigne de mon côté. Il pourrait éventuellement utiliser son passeport afghan plutôt que son titre de voyage français. Après tout, Obama est encore président pendant quelques semaines. Je fais une recherche sur Internet et réalise que l'Afghanistan est le pays, avec la Somalie, qui a accès au moins de pays dans le monde, seulement 25. En comparaison, être français permet d'en visiter 175 sans visa.

Mohammad est déprimé. Il ne trouve pas le sommeil, se sent humilié. Il savait qu'il ne pouvait retourner dans son pays – c'est le sort de tout réfugié politique –, mais il pensait avoir le droit de voyager partout ailleurs. Il a téléphoné à la Préfecture dans l'après-midi. Après une attente interminable, il a pu exposer son cas en quelques mots. On lui a répondu sèchement que son titre de voyage ne l'autorisait à circuler que dans l'espace de Schengen. Pour les autres pays, il lui faut un visa. Comment en obtenir un sans passeport ? Demander la nationalité française. Au bout de deux années de présence sur le territoire en tant que réfugié, il pourra déposer un dossier. Il devra ensuite patienter entre douze et dix-huit mois pour obtenir une réponse.

Il entend des chuchotements et des pas dans le couloir. Sa chambre est mitoyenne d'un petit appartement que ma mère loue à mon oncle violoncelliste. Souvent, l'été, les fenêtres ouvertes laissent échapper une suite de Bach ou une sonate de Brahms.

Il n'a plus envie de raconter son histoire. Il se disait qu'en partant pour New York il se débarrasserait peut-être de toute la charge émotionnelle qui le paralysait jusqu'ici. Se retrouver au bout du monde, dans cette ville fantasmée, cette cité mythique, aurait pu libérer sa parole. Il paraît que l'énergie y est folle, qu'on s'y sent pousser des ailes. C'est cette force dont il a besoin aujourd'hui. Il a peur de faire remonter à la surface des souvenirs qu'il s'efforce d'enfouir depuis des années. Il ne peut prendre ce risque. Il est encore trop fragile. Il doit se concentrer sur l'avenir et ne surtout pas réveiller les fantômes du passé.

Depuis l'annulation de son voyage à New York, Mohammad est distant. Je l'ai appelé plusieurs fois pendant l'automne pour essayer de le motiver, mais je sens de moins en moins d'enthousiasme de sa part. Il faut que je lui parle de vive voix. Je décide de prendre un billet pour Paris. J'en profiterai pour interroger ma mère. Adieu Reykjavik.

Roissy. L'astuce du somnifère a fonctionné. Je suis d'attaque. Le rendez-vous avec Mohammad est fixé à 8 heures.

Ma mère est très heureuse de me retrouver.

— Finalement, c'est une bonne chose, ce projet.

Rituel du petit déjeuner. Earl Grey, pain aux céréales, confiture de framboises, compote de pommes. Je donne le change, mais ne peux m'empêcher de surveiller la grosse horloge accrochée au-dessus de la cuisinière. Il est 8 h 15. Toujours pas de nouvelles de Mohammad.

— Il t'a dit que nous devions nous voir ce matin?

— Non, il ne m'en a pas parlé.

— Ah.

J'attrape mon portable et compose son numéro. J'entends alors une sonnerie de téléphone provenant du salon, puis des bruits de pas. C'est lui.

Il embrasse ma mère et me salue d'un geste de la tête.

— Excuse-moi, mais…

Il marque un temps.

— … je suis un peu en retard.

Je reprends ma respiration, bois mon thé d'un trait, avale ma tartine et me lève. Ma mère s'approche de moi et me glisse à l'oreille : « Ne le brusque pas, s'il te plaît. »

Mohammad a très peu parlé de son passé à ma mère. Elle ne sait pas exactement d'où il vient ni ce qu'il a traversé avant de débarquer dans sa vie. Elle a tout de suite senti une cassure chez lui, une tristesse profonde qui la déconcerte. Elle est rationnelle, ma mère. En bon Bélier, elle avance tête baissée et entraîne ceux qui l'entourent dans son sillage. Son frère François la compare à Mick Jagger. Cent idées à la minute, ne tenant pas en place et ne montrant jamais aucun signe de faiblesse. Elle dit ce qu'elle pense et aime voir la vérité en face. Avec Mohammad, elle est obligée de temporiser, de s'adapter. Elle est attentive et douce. Elle essaie de ne pas le bousculer. Elle ne pose jamais de questions trop personnelles. Elle le laisse venir à elle. Elle sent qu'il se reconstruit doucement, que tout cela est encore très fragile.

Mohammad et moi marchons jusqu'au parking de la place des Invalides.

— Tu es vraiment revenu spécialement pour moi ?

— Oui. Pour toi et pour ma mère.

Il marque un temps.

— J'ai du mal à y croire.

— Ah bon, pourquoi ?

— Cela fait longtemps que l'on ne m'a pas accordé autant d'attention.

Nous récupérons la voiture de mon père, couverte d'une épaisse couche de poussière, au deuxième sous-sol.

La sortie de Paris est chaotique. Nous roulons en direction de Recloses, petit village près de Fontainebleau, où se trouve notre maison de famille.

J'ai l'intention de passer la journée au coin du feu avec Mohammad, en espérant qu'il se confie à moi. Pour l'instant, il se tait. Je comble le silence en racontant l'Amérique post-élections, la colère de tout un peuple, les manifestations quotidiennes, Obama qui, pendant ses derniers jours au pouvoir, essaie de sauver les meubles avant le raz-de-marée annoncé, et puis mon chat qui n'est pas revenu. Mon monologue nous amène jusqu'à la porte en bois noir du jardin.

Je récupère la clef cachée dans le buisson à gauche de l'entrée et pénètre dans la maison. Il se dégage une grande sérénité de cette ancienne bâtisse que mes parents ont mis des années à retaper en soignant chaque détail. Rien ne devait paraître neuf. Le jour où, pendant les travaux, le sol du couloir du premier étage s'est écroulé, mon père a demandé au maçon de le reconstruire à l'identique en s'assurant que les tomettes soient abîmées, irrégulières et surtout pas à niveau.

Mon père avait une passion pour la décoration et la création de nouveaux lieux. Un appartement, une maison de campagne, une boutique, n'importe quoi, du moment qu'il y avait de la maçonnerie, de la plomberie, de la menuiserie ou de la peinture. Il aimait autant passer ses nuits à élaborer méticuleusement des plans dans les moindres détails que poser des porte-serviettes dénichés dans une brocante anglaise ou un crochet préalablement rouillé au pinceau pour ne pas dénoter dans un décor d'époque. Et quand, par manque de projet personnel, il se retrouvait au « chômage technique », il offrait volontiers ses services à un ami en panne d'inspiration ou à un cousin peu bricoleur.

Ceux avec qui il préférait passer son temps étaient les ouvriers qui travaillaient avec lui sur ses chantiers. Michel, José, Bruno, Manoel, ses complices, ses compagnons de route, ses amis, tous présents le jour de son incinération au cimetière du Père-Lachaise. Et lorsque ma mère, quelques mois après sa mort, s'est résolue à vider ses placards remplis de vestes, de chemises et de pulls pour la plupart identiques, elle leur a proposé de venir se servir. Ils se sont relayés dans cette salle de bains aux murs sombres qu'ils avaient eux-mêmes peinte, tapissée ou carrelée quelques années auparavant.

Depuis qu'ils se connaissent, ma mère a souvent invité Mohammad à l'accompagner le week-end dans cette maison à l'orée de la forêt. La première fois, c'était deux semaines après son arrivée chez elle. Ils avaient passé plusieurs heures à discuter pendant que les enfants de mes frères jouaient dans le jardin. Ils s'étaient confiés l'un à l'autre. Mohammad avait compris ce jour-là qu'il pouvait lui faire confiance.

Alors qu'il est sur le point de m'accorder cette même confiance, il a l'air nerveux et demeure silencieux. Va-t-il tourner les talons et s'enfuir ? Je lui propose du thé pour le mettre à l'aise.

— J'ai envie de quelque chose de plus fort. J'ai besoin d'un remontant. Tu penses qu'il y a de la bière dans le frigo ?

Il se justifie.

— Cela fait plusieurs années que je n'ai pas bu d'alcool le matin.

J'installe deux fauteuils devant la cheminée, froisse du papier journal, empile quelques bûches et fais craquer une allumette. Le petit bois s'enflamme instantanément. J'offre une Pelforth Blonde à Mohammad et me sers une tasse de thé de Chine.

Nous nous asseyons face à face. Je sors mon enregistreur, appuie sur le déclencheur et le pose sur la table basse qui nous sépare.

Il me jauge. Je lui souris. Ne surtout pas précipiter les choses.

Je ne connais rien de son histoire. J'espère ne pas être déçu. Je me souviens d'un documentaire que j'ai tourné, il y a quelques années, sur un célèbre romancier français. Après deux longues journées d'interview, je me suis rendu compte qu'il n'arrivait à parler ni de lui ni de son travail. Trop timide, trop humble, sûrement. J'avais le choix entre continuer le tournage, sachant pertinemment que je ne pourrais jamais en tirer un film, ou arrêter les frais. J'ai choisi la deuxième option, l'écrivain s'est fâché et nous ne nous sommes jamais revus. Et si c'était de nouveau le cas ? Si le témoignage de Mohammad s'avérait peu surprenant ? Si ma mère avait raison et que ce qu'il a vécu, d'autres l'avaient déjà raconté ? Si je devais renoncer à ce projet ? Comment le lui annoncer ? Comment ne pas le blesser ?

Mohammad boit sa bière à petites gorgées, en silence, sans me quitter des yeux. Le feu crépite. Des croassements de corbeaux nous parviennent du jardin.

Je me lance.

— Raconte-moi ton histoire, depuis le début.

Il laisse échapper un rire nerveux.

— Depuis le début… Depuis le tout début ?

Il vient de naître.

Ça se passe en 1994 en Iran. Il a trois frères et trois sœurs. Il est le septième de la fratrie. Sa famille est très religieuse. Ce sont des musulmans chiites.

Son père travaille dans une usine de textile pendant que sa mère s'occupe des enfants. Ses parents ont quitté l'Afghanistan à la fin des années 80. La guerre avec les Soviétiques n'en finissait pas. Ils étaient à Kaboul et, à cette époque, le gouvernement essayait de récupérer tous les hommes en âge de combattre pour renforcer les troupes. Ils ont embarqué son père, mais il s'est échappé. Il ne voulait pas participer à ce conflit auquel il ne comprenait rien. Il a préféré fuir le pays avant qu'ils ne l'attrapent une seconde fois.

Ils habitent une vaste maison de la banlieue d'Ispahan. Une vieille bâtisse sans confort, mais très colorée et spacieuse. Il y a un grand jardin entouré d'un haut mur pour préserver l'intimité des femmes de la famille. Au milieu se dresse un magnifique grenadier.

Son père est un homme généreux qui, malgré son faible salaire, fait régulièrement des dons aux différentes organisations du quartier et participe activement à la vie de la communauté afghane du nord de la ville. Il y a toujours du monde à la maison. Des fêtes et des banquets. Les voisins apportent des victuailles en signe de remerciement. Ils forment un groupe uni pour faire face à la brutalité et aux discriminations des autorités iraniennes.

Un jour, son père est victime d'un accident à l'usine de textile où il travaille. Il se fait broyer l'index de la main droite par une machine de tissage. N'ayant aucune assurance ou couverture maladie, il est obligé de retourner à l'usine dès sa sortie de l'hôpital.

Ses parents n'ont reçu aucune éducation, aucune culture. Mohammad s'est toujours dit que c'était leur destin de rester des gens modestes, sans avenir, sans droit, de subir leur vie. Il est inconcevable, dans cette société, de pouvoir choisir son futur, d'avoir de l'ambition, de voir les choses en grand. Se construire une personnalité, être original n'est pas une option. Tout est fait pour qu'on ne puisse pas exprimer sa différence.

Mohammad reprend sa respiration et termine sa bière d'un trait. Je l'encourage à continuer. Il marque un temps, attrape une bûche dans le panier en osier posé à côté de la cheminée et la dépose au milieu des flammes.

Pourquoi accepte-t-il de me parler? Qu'est-ce qui chez moi lui inspire confiance? Se sent-il redevable vis-à-vis de ma mère? Est-il simplement touché par le fait que je m'intéresse à lui? La plupart des relations avec les personnes qu'il croise chez ma mère sont superficielles.

Les gens sont curieux de voir « le migrant de Marie-France ». Il n'existe pas pour eux. Il n'est à leurs yeux qu'un épisode exotique dans la vie de ma mère. Ça s'arrête là.

Dès son plus jeune âge, il est contraint de prier avec ses parents, d'étudier les textes religieux, d'aller à la mosquée, d'être un bon musulman. Il suit leurs préceptes à la lettre. Il demande souvent pardon à Dieu, même pour des fautes qu'il n'a pas commises. Il doit éviter toute forme de plaisir ou de bonheur car sa seule mission sur terre est de célébrer Allah. Il ne peut pourtant s'empêcher d'être heureux par moments, pour des petites choses. Un chat qui vient se frotter contre sa jambe, l'odeur d'un gâteau que prépare sa mère, le soleil qui chauffe son visage… Du coup, il a l'impression de vivre dans le péché en permanence. Cela le rend triste et il se méprise de ne pas être assez rigoureux. Il se rattrape en étant très actif à la mosquée et participe à d'interminables lectures du Coran en petits groupes. Il faut aussi qu'il fasse sa prière cinq fois dans la journée. Le matin à l'aube, à midi, l'après-midi, au coucher du soleil et le soir avant de se mettre au lit. Tous les jours. Sans exception. Celle du matin est la plus pénible, surtout l'été où le soleil se lève à 5 heures. Une torture. À sept ans, il effectue le ramadan, pour la première fois. Supplice supplémentaire.

Il comprend vite que, s'il veut être accepté par ses parents, ses frères et sœurs, les amis de la famille, ses copains, il faut qu'il se fonde dans le moule, qu'il suive aveuglément ces pratiques religieuses sans rien remettre en question. Il apprend progressivement à refouler toutes ses ambitions personnelles, ses besoins et ses envies. Il sent une frustration de plus en plus grande, mais ne doit rien laisser paraître. Il se pose de plus en plus de questions mais s'efforce de ne pas y répondre, pour ne pas devenir fou. Tous ces gens autour de lui, qui semblent habités par la foi, ressentent-ils la même chose ? Font-ils tous semblant ? Ou est-il le seul à être différent ?

Je m'appelle Cohen, donc je suis juif. Enfin, pas vraiment. Je m'appelle Cohen, donc je me sens juif. Mon père était juif, pas ma mère. Et puis je ne suis pas pratiquant. Donc, je ne suis pas reconnu comme juif par les juifs. Mais souvent considéré comme juif par les non-juifs. Je me sens solidaire du peuple juif, mais ne soutiens pas la politique d'Israël. Je me sens proche de la communauté juive, j'aime la nourriture juive d'Afrique du Nord, je suis sensible à la musique juive, aux traditions juives, mais je ne célèbre que très rarement les fêtes du calendrier juif.

Mon seul rapport à la religion a longtemps été le couscous de Mamie pour Yom Kippour. Nous nous réunissions immuablement dans le vieil appartement de la place Pereire. Il n'était jamais question de Grand Pardon, mais c'était l'occasion de se retrouver, ensemble, avec mes parents, mes frères, mon oncle, mes tantes, mes cousins, ma cousine et mes grands-parents. Nous étions comme toutes ces familles qui fêtent Noël sans jamais prononcer de prière. Nous nous régalions de salade *méchouia*, de bricks au thon, d'une semoule légère et de boulettes aux artichauts, dont ma grand-mère avait le secret. En dessert, une salade d'oranges et des *manicotti*, pâtisseries en forme de boutons de rose, imbibées de sirop de sucre à la fleur d'oranger et de miel. La soirée se terminait dans le salon, où mon grand-père fumait un cigare pendant que nous savourions une barre de Mars avec un verre de jus d'orange Tropicana. J'étais enfant et pour moi, c'était ça, être juif.

Alors qu'il commence tout juste à s'adapter à sa nouvelle école, Mohammad doit quitter Ispahan.

Un serial killer sévit dans les faubourgs de la cité aux minarets dansants. Plusieurs femmes sont violées et assassinées en l'espace d'une semaine. Les habitants de la ville, convaincus que le meurtrier est afghan, se mettent à pourchasser, à tabasser et à égorger systématiquement tous ceux qu'ils croisent sur leur route.

Depuis son plus jeune âge, la société iranienne ne l'a jamais considéré. Mohammad a maintenant la confirmation qu'il est tout juste bon à finir poignardé au fond d'un caniveau.

La famille fuit précipitamment, en abandonnant tout derrière elle.

Je suis saisi d'un doute. Cette histoire de serial killer semble tout droit sortie d'un film. Et si Mohammad affabulait ? Si, de peur que sa vie me semble trop fade, il inventait des anecdotes, des événements imaginaires ? S'il se mettait en scène ? Je le dévisage pour essayer de repérer un quelconque signe de nervosité, mais il enchaîne sans sourciller.

En arrivant à Téhéran, des cousins éloignés accueillent Mohammad et sa famille chez eux, le temps qu'ils trouvent un logement. Ils dorment à neuf dans la même chambre. Son père a beaucoup de mal à retrouver du travail. Lui ne peut pas aller à l'école, car il n'a plus aucun livre ni cahier. Ils n'ont eu le droit d'emporter qu'une petite valise chacun. Au bout de plusieurs mois, ils comprennent qu'aucun établissement de la ville n'accepte les élèves afghans. Des volontaires du quartier improvisent une école de fortune dans un garage et assurent les cours à tour de rôle.

Ils recommencent leur vie à zéro. Mohammad a neuf ans, il est le plus jeune et c'est pour lui que c'est le plus dur. Il se met à douter du sens de la vie et ressent ses premières pulsions suicidaires. Pourquoi doit-il payer pour quelque chose dont il n'est pas responsable ? Si Dieu existe, comment peut-il laisser de telles injustices se produire ? Il doit une fois de plus garder ses réflexions pour lui. Poser des questions est strictement interdit. Il vit entouré de robots.

À Ispahan, le serial killer est finalement arrêté. Ce n'était pas un Afghan mais un Iranien de bonne famille. Entre-temps, des dizaines d'innocents ont été massacrés et des centaines de familles, comme celle de Mohammad, ont tout perdu.

Mohammad a besoin de prendre l'air. Il se lève et sort. Par la fenêtre du salon, je le regarde déambuler dans l'herbe humide à l'ombre des vieux chênes qui entourent la maison. Il s'attarde près d'un rocher au fond du jardin autour duquel ma mère a planté quelques rosiers. C'est au pied de ce bloc de grès que sont enterrées les cendres de mon père. Nous avons posé sur la pierre un petit coffre indien en bois sculpté dans lequel chacun peut déposer un mot, un dessin ou un objet en sa mémoire. Un soir, à l'abri des regards, j'y ai glissé une feuille de papier.

Bernard, mon père
(1941-2010)

- *Se faisait appeler Nonno par ses petits-enfants ou Capitaine Cook quand il était en mer*
- *Raffolait des spaghetti à la tomate et au basilic préparés par ma mère*
- *Était fou de foot (malaise cardiaque en 2000 quand l'équipe de France a marqué un but dans les prolongations, remportant par la même occasion la coupe d'Europe)*
- *Jouait au tennis de la main gauche*
- *Lisait le journal L'Équipe tous les matins*
- *Écoutait du jazz, de la salsa et de la variété italienne*
- *Était le plus heureux des hommes avec un marteau, un tournevis ou un pinceau à la main*
- *Connaissait par cœur les allées du sous-sol du BHV, où les vendeurs l'appelaient « Monsieur Cohen »*
- *Aimait le contact du sable chaud sous ses pieds et l'odeur du jasmin*

- *Possédait une collection impressionnante de caleçons et de chaussettes en laine toutes de la même couleur*
- *Conduisait nerveusement cheveux au vent*
- *Riait beaucoup*
- *Détestait vieillir*
- *Son dernier mot : « Formidable »*

En le voyant si proche de la sépulture de mon père, je me rends compte que Mohammad est entré petit à petit dans l'intimité de notre famille.

Il s'immobilise et se tourne vers la maison. Nos regards se croisent. Il me fait un petit signe de la tête et revient s'installer dans le fauteuil en face de moi.

— Je n'ai jamais autant parlé, tu sais.

Je lui propose une deuxième bière.

Chaque soir après les cours, il travaille chez un tailleur. Il transporte des rouleaux de tissu et nettoie la boutique. Entre-temps, son père a été engagé dans une usine de textile mais son salaire ne suffit pas à subvenir aux besoins de la famille.

Les élèves de sa classe sont solidaires. Ils se serrent les coudes. Tous dans la même galère. Pour la première fois de sa vie, Mohammad a l'impression d'avoir des amis. Il n'est plus seul.

En revanche, dès qu'il sort de son quartier, les choses se compliquent. S'il fait la queue au marché et qu'un Iranien arrive, il lui passe devant. S'il ose le regarder droit dans les yeux, il se fait bousculer. S'il s'habille de manière un peu soignée, il se fait insulter ou même agresser. Il ne doit pas se faire remarquer. Il faut être invisible, ne pas exister. Et si par malheur il se retrouve, de près ou de loin, mêlé à une bagarre, même s'il n'a rien à voir avec la dispute, il est immédiatement tenu pour responsable. Il a vu ses deux frères se faire passer à tabac sans raison. C'était terrifiant. Il a peur en permanence. Pour les filles, c'est pire. Les Iraniens font ce qu'ils veulent d'elles. Les agressions sexuelles sur les Afghanes sont fréquentes et les responsables ne sont jamais condamnés. Ils violent aussi les jeunes hommes. Du coup, alors qu'il n'a que dix ans, ses frères lui apprennent à boire. Ils veulent s'assurer qu'il tient bien l'alcool pour ne pas se laisser abuser.

Sa vie n'a aucune valeur. Pire qu'un chien. Ces hommes ont droit de vie ou de mort sur lui. Ils ne l'appellent jamais par son nom ou son prénom, juste : « L'Afghan ! » C'est leur insulte favorite.

Mon père est né à La Goulette en 1941. Comme la plupart des Juifs tunisiens, il a dû quitter son pays à la fin des années cinquante au moment de l'Indépendance. À l'époque, la communauté juive de Tunis, qui avait majoritairement pris parti pour la France, s'est retrouvée menacée. Insultes, agressions, confiscations… Il a dix-huit ans quand il arrive à Paris, laissant sa famille derrière lui. Loin des siens, du soleil et de l'insouciance, il s'inscrit aux Beaux-Arts et fait pour la première fois l'expérience du déracinement. Son frère aîné étudie la médecine et obtient facilement la nationalité française, alors que lui devra attendre quinze ans pour décrocher le précieux sésame.

Ses parents et sa jeune sœur le rejoignent peu de temps après. Ils ouvrent une blanchisserie et réunissent toute la famille dans un petit appartement de l'avenue de Choisy.

Ma mère et mon père se rencontrent quelques années plus tard. Ils se marient en 1968, je viens au monde un an après, suivi de près par mes deux frères, Julien et Thomas.

À partir de ce moment-là, mon père décide de couper les ponts avec son pays natal. Il évite les réunions d'«anciens combattants», les couscous du vendredi soir, les belotes du dimanche et refuse de retraverser la Méditerranée malgré l'insistance de ma mère.

Le temps passe, mes frères et moi grandissons et commençons à réclamer à notre tour un voyage sur la terre de nos ancêtres. Il finit par céder et nous partons tous les cinq en pèlerinage au début des années 80.

Nous nous retrouvons dans un bel hôtel de La Marsa à quelques ruelles de l'ancienne maison de la famille Cohen. Après une balade sous les bougainvilliers de Sidi Bou Saïd, un sandwich au thon au Saf Saf et une glace chez Salem, madeleines de son enfance, nous rentrons à l'hôtel. Nous regagnons notre chambre, mes parents la leur. Ils s'endorment en laissant ouverte la baie vitrée donnant sur le jardin pour profiter de l'odeur du jasmin et de l'air frais de la nuit. En plein sommeil, ma mère sent une main chaude se poser sur sa cuisse. Elle se retourne vers mon père qui dort profondément. Elle s'aperçoit alors qu'un inconnu est agenouillé au bord du lit. Il pose son index sur ses lèvres, l'invitant à se taire, et lui fait signe de le suivre. Le temps semble suspendu. Sortant de sa torpeur, elle se met à hurler. L'homme disparaît aussitôt. Mon père se réveille. Elle lui explique la situation. Il la dévisage, incrédule.

— Tu es sûre que ce n'était pas un rêve ?

— Certaine.

Il s'extrait du lit en caleçon, sort sur la terrasse et scrute le jardin qui descend vers la mer.

— Il n'y a personne. Rendors-toi.

Il ferme la baie vitrée puis vient se glisser dans le lit à ses côtés. Elle se blottit contre lui.

Le lendemain matin, mes parents se présentent à la réception et demandent à voir le directeur de l'hôtel. Un chauve d'une cinquantaine d'années les reçoit dans son bureau. Ils lui exposent la situation. Ils ont l'intention de porter plainte. L'homme leur explique que la moitié de l'établissement est occupée par un cheikh qatari et que l'homme qui s'est introduit dans leur chambre est certainement un de ses gardes du corps. Il leur présente toutes ses excuses et leur déconseille vivement de prévenir la police. Cela ne pourrait que leur attirer des ennuis supplémentaires. Au moment de prendre congé, il les invite à fermer les portes et fenêtres de leur villa à clef. Ma mère est folle de rage.

— Et si j'avais été seule et que ce salopard avait abusé de moi, ça aurait été pareil ?

— Je suis sincèrement désolé, madame, mais nous ne pouvons malheureusement rien faire.

Le saint patriarcat.

Mohammad a quinze ans. Après plusieurs années à Téhéran, il a enfin trouvé ses marques, comprenant qu'il doit éviter au maximum tout contact avec les Iraniens. Il s'est inscrit dans une école afghane, travaille chez un tailleur afghan et ses amis sont afghans. Il fait partie d'une bande de garçons avec qui il traîne le soir, va au cinéma et joue au football. Il a de l'humour, fait rire ses camarades et devient la mascotte du groupe.

Sa sœur aînée, qui ne supporte plus ce pays, décide de partir pour l'Afghanistan. Elle tente de convaincre le reste de la famille de la suivre. Même si Kaboul n'est pas un endroit sûr, une guerre en ayant remplacé une autre, ça reste leur patrie. Leurs racines et leur famille sont là-bas et ils pourront avoir leur propre maison. En Iran, ils n'ont le droit ni de conduire une voiture, ni de travailler ailleurs qu'à l'usine, encore moins d'être propriétaire. Leur père a vécu dans ce pays pendant vingt-cinq ans, mais n'a jamais eu aucune reconnaissance sociale. La seule preuve de son existence est une carte de résident qu'il doit renouveler tous les ans moyennant une somme exorbitante, et qui peut lui être retirée à tout moment.

Après avoir hésité plusieurs mois, le père finit par annoncer leur départ pour Kaboul. Certains des frères et sœurs de Mohammad préfèrent rester en Iran, lui n'a pas le choix. Il est trop jeune pour vivre seul et ne peut imaginer se séparer de sa mère. Il est partagé entre la tristesse de quitter ses amis et le soulagement de fuir ce pays hostile. Il ne connaît pas l'Afghanistan, mais ça ne peut pas être pire.

Kaboul est une ville dévastée par la guerre. Bâtiments en ruine, traces de balles et de bombardements sur les murs. Grande pauvreté. Hommes barbus et très peu de femmes dans les rues. Mohammad est dépité.

On se moque de son accent perse. Il ne connaît rien à la culture du pays, ni les coutumes, ni les traditions. Il n'a aucun code. Ici aussi, il est considéré comme un étranger. « Eh, l'Iranien ! »

Autre ombre au tableau : la situation économique de la famille. Son père, qui vient de fêter ses soixante ans, ne trouve pas d'emploi. Il reste à la maison pendant que ses fils gagnent l'argent du foyer. Tous travaillent chez le même tailleur.

Ce qu'a vécu et appris Mohammad en Iran ne lui sert à rien. Une fois de plus, il repart de zéro. Et encore, zéro serait un bon début. Il redémarre au-dessous de zéro. Le malheur, la frustration et l'humiliation qu'il a subis depuis des années lui ont fait perdre toute confiance en lui. Il faut que ça change. Il est dans son pays et veut enfin être respecté. Il en parle à son père qui lui explique

que ce n'est malheureusement pas aussi simple : en tant qu'Hazara, il est chiite, une minorité discriminée depuis toujours par la majorité sunnite du pays.

Je me branche sur Internet. Les Hazaras représentent environ 20 % de la population afghane. Ils sont d'ascendance asiatique, probablement d'origine mongole et parlent le *hazaragi*, sorte de dialecte persan. On les retrouve également au Pakistan, en Iran ou au Turkménistan. Cette ethnie a été déplacée de force, asservie et persécutée par les autres groupes dominants. Rejetés à cause de leur attachement au chiisme dans un environnement majoritairement sunnite, ils ont souvent été contraints à l'exil, surtout dans les années 90, quand les talibans ont pris le pouvoir. Ces derniers ont déclaré à l'époque que les Hazaras n'étaient pas de vrais musulmans et qu'il fallait s'en débarrasser, provoquant de nombreux massacres. Depuis une dizaine d'années, une loi leur accorde les mêmes droits qu'aux autres ethnies et leur donne, pour la première fois, accès aux services médicaux, sociaux, à l'éducation, à l'instar des Pachtounes ou des Tadjiks, même si, dans la réalité, les inégalités restent encore très importantes. Pour remédier à cette situation, les Hazaras investissent la scène politique pour faire entendre leur voix, se concentrant principalement sur l'éducation, qu'ils voient comme une planche de salut à long terme.

L'idée d'être considéré comme un étranger dans son propre pays affecte profondément Mohammad. En dehors de l'école ou de la boutique de tissus, il passe son temps libre allongé sur son lit à ne rien faire. Plus il s'isole, plus il sombre.

Soudain, un rayon de soleil. Les troupes de l'ONU débarquent. Des Américains, des Canadiens, des Européens... C'est sa chance. Il faut absolument les approcher et arriver à travailler pour eux.

Première étape, parler leur langue. Il cherche à s'inscrire à des cours intensifs de français. Trop cher. Il se rabat sur l'anglais, plus abordable. Très motivé, il progresse rapidement. Apprendre une nouvelle langue l'excite. Il se sent pousser des ailes.

Depuis le début de cette journée, nous parlons anglais avec Mohammad. À chacun ses hésitations, ses approximations, ses fautes de grammaire, ses lacunes de vocabulaire. On s'entraide. Quand l'un ne trouve pas ses mots, l'autre vient à la rescousse. Nous sommes sur un pied d'égalité et cela fait naître entre nous, au fil de la discussion, une vraie complicité.

L'apprentissage de cette langue a toujours été un enjeu important dans ma famille. J'ai huit ans à peine quand ma mère m'envoie pour la première fois en Angleterre en voyage linguistique. Une semaine dans une famille inconnue. Je pleure sans interruption du départ de Paris jusqu'au retour à l'aéroport une semaine plus tard. L'année suivante, même punition, quinze jours cette fois-ci. Et ainsi de suite jusqu'à l'été de mes quinze ans, où, plutôt que de passer les vacances avec mes amis, je pars travailler comme maître nageur dans un hôtel au sud de l'Irlande.

Quand j'arrive là-bas, le responsable de l'établissement m'annonce que la piscine est en travaux. Je me retrouve, durant les deux mois qui suivent, à passer l'aspirateur et à nettoyer les salles de bains. Je partage une chambre sous les toits avec un cuisinier alcoolique qui, de retour du pub en plein milieu de la nuit, prend un plaisir sadique à me balancer des seaux d'eau glacée au visage.

J'en ai longtemps voulu à ma mère mais lui suis aujourd'hui reconnaissant pour cet acharnement linguistique. Grâce à elle, je comprends parfaitement l'anglais et m'exprime de manière fluide, même s'il m'arrive encore de ressentir une certaine frustration quand je ne parviens pas à exposer mes idées aussi précisément que dans ma langue natale. Ce manque de nuances me fait forcément passer pour plus bête que je ne le suis. Quand on parle une langue étrangère, on est moins sûr de soi, plus vulnérable, moins rapide, plus timide, en retrait. On devient une autre personne.

Nous partageons ce sentiment, Mohammad et moi.

En Afghanistan, il faisait rire les filles, sa famille, ses amis. Il avait un humour très apprécié de son entourage. Il aimerait redevenir drôle mais redoute de ne jamais retrouver cette aisance, cette finesse qui permettait de faire de l'esprit. Pour lui, le rire et le bonheur vont de pair. Quand il rit, et surtout quand il fait rire les autres, il est heureux. Ce qui ne lui est pas arrivé depuis longtemps.

Pause déjeuner. Je lui laisse le choix entre un sandwich au coin du feu ou un restaurant traditionnel des alentours. Il opte pour le casse-croûte. Aller-retour en voiture au village à travers les champs de colza pour acheter une baguette fraîche, du pâté et des cornichons.

Nous nous installons sur la grande table de la cuisine, partageons le pain en deux et commençons à tartiner. Ce pâté forestier est bouleversant. Aucun Cohen, aucun Mohammad ne peut y résister.

— C'est meilleur que n'importe quel restaurant !

J'acquiesce la bouche pleine.

— Ta mère fait une cuisine simple et délicieuse. La première fois que nous avons déjeuné ensemble, elle a posé au centre de la table une soucoupe avec un mélange d'huile d'olive, de sel, de poivre et d'épices mystérieuses. C'était étonnant. Je n'aurais jamais pensé que de l'huile puisse avoir un tel goût.

Un ami lui apprend qu'un poste vient de se libérer à l'ambassade d'Angleterre, avec à la clef un très bon salaire. Il fonce. On lui demande un CV. Il ne sait pas ce que c'est. Son ami l'aide à en rédiger un. Trois lignes. Ça passe. Il est engagé.

Il travaille dans un premier temps comme homme de ménage. Il nettoie la cuisine, les toilettes, les parties communes. Au bout de deux mois, il est transféré à la plonge. Puis, quelques semaines plus tard, un des responsables se rend compte qu'il parle anglais et lui propose de le rejoindre en salle. Il se retrouve au contact de gens complètement différents de tous ceux qu'il a pu rencontrer jusqu'à présent. Des Européens, des diplomates, des hommes politiques et des membres de la haute société afghane.

Mohammad sympathise avec Naïm, serveur comme lui à la cantine. Un garçon intelligent, cultivé, travailleur et drôle.

Un jour, son nouvel ami le prend à part :

— Tu veux lire un livre ?

— Je ne sais pas. Pour être honnête, je n'ai pas telle-ment l'habitude.

— Tu devrais essayer. C'est un texte simple qui fait du bien.

Cette idée lui plaît. Naïm disparaît dans le vestiaire et réapparaît un bouquin à la main.

— Ça reste entre nous.

— Promis.

The Technology of Thought est une synthèse de textes qui s'inspire des plus grands penseurs de l'histoire de l'huma-nité sur le fonctionnement de l'Univers, de l'amour et des ordinateurs. Il a été écrit par un médecin iranien, Alireza Azmandian, qui, après avoir enseigné dans les plus grandes universités américaines, est revenu dans son pays pour par-tager ses théories avec ses concitoyens.

Il est deux heures de l'après-midi. Mohammad vient de finir son service. Il rentre chez lui, pose son sac, s'installe sur son lit et ouvre le livre. Il est happé dès l'introduction :

« *Les êtres humains ont énormément de ressources cachées en eux. Seule une infime partie de ce trésor gigantesque a déjà été découverte. Les hommes doivent prendre conscience des possibilités infinies et du pouvoir qu'ils possèdent. Tout ce qu'on imagine, on peut le créer, et tout ce qu'on désire, on peut l'obtenir. Dans ce monde, aucun obstacle n'existe. C'est un monde aux opportunités infinies, et chaque oppor-tunité peut se transformer en richesse. Richesse ne veut pas seulement dire argent, bien sûr, tout ce que vous accomplis-sez peut être considéré comme enrichissant. La connaissance est une richesse, tout comme l'amour et le bonheur. Avoir des relations fortes avec les gens est un signe de richesse.*

Avoir une vie spirituelle intense est aussi une vraie richesse. Dans ce nouveau monde dont je vais vous parler, tout peut être différent. »

Quatre heures plus tard, il referme le livre qui s'achève sur ces mots :

« Je vous souhaite un passage productif sur terre. Pour le reste de nos vies, qui devraient être longues et glorieuses, nous resterons profondément connectés. Maintenant, il est temps d'aller de l'avant et de vous engager sur la voie du succès. »

Ce manuel de développement personnel provoque un véritable big bang intérieur chez Mohammad. Chaque évidence est une découverte. Plus rien ne sera jamais pareil.

Il est un individu unique. S'il désire quelque chose, il peut aller le chercher. L'idée que son existence puisse être autre chose que l'accomplissement des tâches du quotidien est révolutionnaire. Il est pourvu d'une conscience, une conscience infinie, il comprend qu'il a en lui un champ d'exploration illimité. Jusque-là, il a passé sa vie à dépendre du monde extérieur. À partir d'aujourd'hui, il commence un voyage à l'intérieur de son propre corps, de son esprit. Il a le droit d'être heureux, et réalise que même la tristesse peut lui apporter du réconfort s'il ne se contente pas de la subir mais l'analyse. Il est euphorique.

Tout ce qu'on lui a inculqué, toutes ses croyances, tout était faux. On lui a menti. La société, l'école, ses parents… Son père lui a toujours dit que son propre père lui avait transmis quelque chose de précieux, quelque chose que son grand-père lui avait lui-même transmis.

Cette chose, c'est la vie. Mais leur but n'a jamais été de vivre cette vie, de lui donner un sens, de la remettre en question. Non, il s'agissait seulement de la transmettre telle qu'on vous l'avait donnée. Rien de plus. Manger, dormir et prier. Être un bon musulman. Avec, comme accomplissement suprême, le paradis.

Passé l'excitation de la découverte, la peur l'envahit, il y a quelque chose de vertigineux dans le champ des possibles qui s'ouvre à lui. Comment cette société peut-elle être aussi fermée, aussi réductrice? Comment sa famille, ses amis peuvent-ils vivre comme des moutons, sans jamais rien remettre en question? Toutes les violences qu'il a subies, qu'ils ont subies, auraient pu être évitées si les hommes étaient plus éclairés. Il a traversé les premières années de sa vie comme un mort-vivant. Cette prise de conscience est une résurrection. Ce livre, c'est le début d'une nouvelle ère. Le moment est venu de penser librement, de s'exprimer sans retenue, de vivre pleinement.

Il a seize ans et il vient de renaître.

Nous avons tous un livre, un film, une phrase, une image qui a changé notre vie. Pour moi, c'est une citation. Elle est punaisée au-dessus de mon bureau depuis vingt ans : « Ils ne savaient pas que c'était impossible, alors ils l'ont fait. » Ces mots de Mark Twain me guident, m'inspirent, me donnent de la force et m'aident à avancer quels que soient les obstacles qui se présentent sur ma route. Chaque fois que je me lance dans l'entreprise folle de la production d'un nouveau film, je me répète cette phrase.

J'appelle ma mère pour l'interroger sur le sujet.

— Moi, ce qui m'a construite, ce ne sont ni les livres, ni les films, ni les belles phrases. C'est l'exemple de vies courageuses, pleines d'espoir, d'intelligence et de modestes ambitions. J'ai aussi eu la chance de n'avoir manqué de rien et celle de ne pas avoir trop... Les livres qui me transportent ne sont jamais des fictions. J'aime le réel, même dans sa dimension tragique. Le seul livre que j'ai lu deux fois d'affilée est *Le Premier Homme* d'Albert Camus. Et puis il y a aussi ces vers de Fernando Pessoa que je voudrais que vous fassiez graver sur ma tombe :

> *Lorsque viendra le printemps,*
> *si je suis déjà mort,*
> *les fleurs fleuriront de la même manière*
> *et les arbres ne seront pas moins verts*
> *qu'au printemps passé.*
> *La réalité n'a pas besoin de moi.*
> *J'éprouve une joie énorme*
> *à penser que ma mort n'a aucune importance. [...]*
> *On peut, si l'on veut, prier en latin sur mon cercueil.*
> *On peut, si l'on veut, danser et chanter tout autour.*
> *Je n'ai pas de préférences pour un temps où je ne pourrai*
> *plus avoir de préférences.*
> *Ce qui sera, quand cela sera, c'est cela qui sera ce qui est.* [1]

Elle marque un temps puis conclut par :

— Je suis seulement triste de savoir que vous serez tristes.

---

1. Fernando Pessoa, *Lorsque viendra le printemps* (*Quando vier a Primavera*), 1915.

Mohammad parle de mieux en mieux anglais, il découvre Internet, écoute de plus en plus de rap, se met à s'habiller différemment, change de coiffure, de comportement. Il se construit une nouvelle personnalité.

Il décide aussi de changer de métier. Beaucoup rêveraient de ce poste à l'ambassade d'Angleterre, bien payé et prestigieux, mais il ne présente aucune possibilité de promotion. La lecture de ce livre l'a débarrassé de toute crainte, lui a donné de la force, de l'ambition. Il n'a plus peur du futur et n'accepte plus de subir aucune humiliation. Ce supérieur qui le maltraite depuis plusieurs mois, il ne veut plus avoir affaire à lui. Il présente sa démission.

Il se remettra à chercher du travail plus tard. Il a un peu d'argent de côté et veut jouir de cette nouvelle liberté. Il passe les trois jours suivants à dormir et à déambuler dans la ville.

Au matin du quatrième jour, il reçoit un coup de téléphone de Barbara, une femme italienne qu'il a rencontrée à l'ambassade.

— J'ai un travail pour toi.

— Pourquoi moi ?

— La première fois que nous nous sommes croisés, tu m'as parlé en français. Tu te souviens ?

— Je croyais que vous étiez française. Je vous ai dit : « Bonjour, je m'appelle Mohammad. » Mais pour être tout à fait franc, ce sont à peu près les seuls mots que je connais dans cette langue.

— Tu veux apprendre ?

— J'en rêve.

— La société Sodexo cherche un agent de sécurité. C'est bien payé et pas trop fatigant. Et si tu te débrouilles, tu pourras rapidement grimper les échelons.

Il accepte sans hésiter.

Pour fêter la nouvelle, il passe acheter des gâteaux dans la meilleure pâtisserie de Kaboul et rentre chez lui triomphant. Il annonce à ses parents qu'il va travailler pour les Français. Ils sont fiers. Il leur dévoile son salaire. Son frère et sa sœur n'en reviennent pas.

Le lendemain, il signe son contrat.

Il commence dès la semaine suivante. On lui fournit une veste, un pantalon de costume et on le place à l'entrée d'un restaurant fréquenté par les soldats français de la base militaire voisine. Il est chargé de vérifier les badges. Sans sa permission, personne n'entre ni ne mange. Ce sentiment de pouvoir est nouveau pour lui. Il aime ça.

La base se trouve à une cinquantaine de kilomètres de la capitale. Il travaille vingt-cinq jours d'affilée pour cinq jours de congé et dort sur place. Il partage sa chambre avec quatre autres salariés. Une cinquantaine de personnes travaillent dans cet endroit. Des Français, des Indiens, des Pakistanais et des Afghans. Il s'entend bien avec tout le monde sauf avec certains de ses concitoyens. Il a un meilleur salaire et un meilleur poste que la plupart d'entre eux, alors qu'il n'a que seize ans et qu'il est hazara. Cela crée des jalousies. Ses compagnons de chambrée sont des Pachtounes illettrés et extrêmement religieux. Il suit le rituel de la prière pour ne pas s'attirer d'ennuis. Ces types le terrifient. Dans cette société où le contact avec les femmes est réduit au minimum, les adolescents comme lui se font régulièrement agresser sexuellement par des hommes plus âgés. Il évite au maximum de rester seul dans sa chambre, se réfugie dans les parties communes et passe son temps à lire et à relire *The Technology of Thoughts*. Il compose et écrit aussi des chansons de rap en cachette.

Il confie ses craintes à Barbara, qui lui présente Marc, le chef de cuisine. Ce dernier, un Alsacien costaud qui travaille pour l'armée depuis des années, l'assure de son soutien. Les jours suivants, Mohammad s'affiche à ses côtés. La pression se relâche.

Son nouvel état d'esprit l'isole du reste de ses collègues de travail. Il se sent inadapté. Il vient de découvrir que l'on peut ne pas croire en Dieu, être athée. Inimaginable il y a encore quelque temps. Douter de l'Islam est un péché mortel, on vous tue pour ça. Même s'il est dit dans le Coran qu'il faut explorer, ouvrir des portes pour trouver sa voie, dans la réalité, c'est impossible. Il ne peut en parler à personne. Il est complètement seul. Il a l'impression de perdre la raison par moments.

Il discute avec les soldats français à la moindre occasion. Il les interroge sur leur pays, leurs coutumes, leurs croyances. Ces derniers semblent l'apprécier. Un jour, un des militaires lui propose de venir travailler avec eux comme interprète. C'est dangereux, mais bien rémunéré, et surtout beaucoup plus excitant que de contrôler des badges à l'entrée d'un restaurant. Ils partent en mission en zone de guerre à la fin du mois et ont besoin de sa réponse rapidement.

Partir au front, servir d'intermédiaire entre les militaires et les villageois. Il est tenté par cette nouvelle aventure mais n'est pas sûr d'être prêt à mettre sa vie en jeu. Il hésite.

Après une nuit d'insomnie, il décide de se jeter à l'eau. S'il veut quitter l'Afghanistan, cette collaboration avec des forces armées étrangères est une opportunité inespérée. *Inch'Allah*.

Il ne se rend pas compte que ce qu'il s'apprête à traverser, personne n'en sort intact.

En 1999, j'ai tourné un documentaire sur James Ellroy à Los Angeles. Deux semaines aux côtés du *mad dog* de la littérature américaine. Il m'a raconté, face caméra, l'assassinat de sa mère lorsqu'il avait dix ans, son adolescence sous stupéfiants, la découverte de l'écriture et comment, après la publication d'une dizaine de romans noirs qui font rapidement de lui une star du polar, il a décidé d'engager Bill Stoner, un ancien flic à la retraite, pour reprendre l'enquête sur le meurtre de sa mère, affaire irrésolue et classée par le LAPD depuis des années. J'ai aussi voulu rencontrer le vieux détective pour l'interroger sur son travail avec Ellroy. Nous nous sommes retrouvés au Pacific Dining Car, *steakhouse* mythique de la côte ouest. Il m'a raconté une vie dédiée à la police de Los Angeles, passée à pourchasser les braqueurs, les dealers, les assassins de la « Cité des anges », et comment il avait fini par y prendre goût. Je lui ai parlé de mon ami Eddie Bunker, romancier, ancien braqueur de banque, lui aussi originaire de L.A., qui avait joué dans mon premier film, *Caméléone*. Ils avaient forcément dû se croiser. Il m'a confirmé l'avoir même arrêté plusieurs fois. J'ai plaisanté en lui assurant que c'était pourtant un type formidable. Le visage du policier s'est alors assombri. Il a pris un air solennel et m'a expliqué que les braqueurs de banques ne sont pas des « types formidables ». « Les victimes de braquages, ou de prises d'otage, sont traumatisées à vie. Leurs existences sont foutues. C'est comme faire la guerre ou côtoyer la mort de trop près. On ne s'en relève jamais. »

Mohammad me demande de faire une pause. Il se lève et disparaît dans le couloir. J'entends le loquet des toilettes. Mon téléphone sonne. Ma mère vient aux nouvelles.

— Alors ?

— Ça se passe bien.

— C'est pas trop dur pour lui ?

— J'ai l'impression que ça le soulage, au contraire. Il s'interrompt par moments pour me remercier.

— Il t'a parlé de moi ?

— Pas encore. On y vient doucement. Je lui fais boire de la bière, ça le désinhibe.

— Attention, il a la descente facile.

— On est faits pour s'entendre, alors.

— Je ne trouve pas ça drôle. Vous rentrez à quelle heure ?

— Quand on aura fini.

J'étais où, moi, à seize ans ? J'habitais au quatrième étage d'un immeuble bourgeois de la rue de l'Université avec mes parents et mes deux frères. Je venais de me faire renvoyer de l'École alsacienne pour mauvaise conduite et m'apprêtais à entrer dans une boîte à bac. J'étais parti faire le tour de l'Europe avec des amis. Munich, Vienne, Budapest, puis j'avais interrompu l'aventure pour rejoindre ma petite amie en Aveyron. Elle s'appelait Nathalie. C'est avec elle que je venais d'avoir mon premier rapport sexuel. J'allais souvent la chercher au lycée et la raccompagnais en métro jusqu'à la porte de Saint-Cloud. Après un dernier baiser, elle disparaissait sur la passerelle qui surplombait le périphérique. Je n'avais pas le droit de la suivre, encore moins de l'accompagner jusque chez elle. J'appris plus tard que son père était antisémite. Je commençais à aller beaucoup au cinéma. Mes idoles de l'époque s'appelaient Bergman, Tarkovski et Kieslowski. J'étais adolescent et adorais ces cinéastes philosophes. À part ma grand-mère décédée des suites d'un cancer quand j'avais neuf ans, je n'avais jamais été au contact de la mort.

Mohammad se retrouve du jour au lendemain en première ligne, équipé d'un gilet pare-balles. Les soldats autour de lui tombent comme des mouches. C'est terrifiant. Ce conflit entre le gouvernement afghan, soutenu par la coalition internationale, et les Talibans est sans merci.

Il décide de ne pas dire toute la vérité à ses parents. Sa mère en serait malade. Avec sa première paye, il leur offre des cadeaux et leur donne de l'argent. Il leur dit de manger à leur faim, de se faire du bien et de ne se soucier de rien d'autre. Il propose à son père de mettre une partie de ses gains de côté pour acheter le terrain sur lequel il rêve de construire une maison depuis longtemps. Un jour, sa mère tombe sur une émission de télévision ; elle y voit des images des troupes françaises en action. Des bombardements, des morts et du sang.

— C'est ça, ton métier ?

Il relativise en lui expliquant qu'il y a des situations tendues de temps en temps mais qu'en général c'est plutôt calme. Si elle savait ! Les embuscades, la peur, la violence des combats, les nuits de cauchemars, les civils assassinés, les jambes arrachées, le sifflement des balles, l'odeur de la mort... Et ce n'est pas le pire. Le plus révoltant, c'est le cynisme de l'armée française. Il traduit des informations confidentielles et a l'impression que tout ça n'est qu'un jeu pour eux. Un jeu de pouvoir où tous les coups sont permis. Lui qui pensait naïvement qu'ils étaient là pour les protéger. Quelle blague ! Ils mentent aux médias, ils mentent au gouvernement, ils mentent à leurs propres troupes... Il est aux premières loges, dans son gilet pare-balles trop grand pour lui, et il assiste, impuissant, à cette mascarade. Il se dit qu'il va finir avec une balle dans la tête sans savoir si elle sortira de la kalachnikov d'un Taliban ou du Famas d'un militaire français. Avec tout ce qu'il détient comme informations, ils ne le laisseront jamais repartir vivant. Il s'accroche à l'idée que tant qu'il leur est utile, il est en sécurité. Il s'efforce de ne pas penser à l'avenir.

Officiellement, les Français, les Américains et trente autres nations combattent les Talibans. Les troupes au sol savent qui est leur ennemi. Mais les informations top secrètes qu'il traduit montrent une tout autre réalité. La vérité, c'est que personne ne veut la paix. Cette guerre arrange tout le monde. Ils cherchent tous à vendre des tanks et des avions, justifier les milliards dépensés pour leurs armées, faire tourner leurs usines, distraire leurs peuples.

Les conversations dont il est témoin ne laissent aucun doute. La paix ne fait pas partie de leurs objectifs. Ils ne veulent pas libérer ce pays, ils veulent le contrôler. Quand il pense au président Bush qui a envahi l'Irak après avoir prétendu que Saddam Hussein possédait des armes de destruction massive, et qui quelques années plus tard a été réélu alors que tout le monde savait qu'il avait menti, il se résout à la triste conclusion que le seul à payer les conséquences de cette guerre absurde sera le peuple afghan.

Tout cela renforce sa conviction que Dieu n'existe pas. S'il existait, comment pourrait-il laisser de telles choses se produire ? Il voit tous les jours des jeunes militaires, croyant se battre pour la paix, pour la liberté, se faire tuer devant lui. Et les responsables de ces drames n'auront jamais aucun compte à rendre. Il perd chaque jour un peu plus son innocence.

Mohammad me confie que c'est à partir de là qu'il a commencé à s'intéresser aux sciences politiques. Il cherche à se procurer des ouvrages sur le sujet mais ne trouve aucun endroit à Kaboul où emprunter des livres. La dernière grande bibliothèque de la ville, qui en abritait plus de cinquante mille, dont certains dataient du Xe siècle, a été entièrement détruite au lance-roquettes par les Talibans à la fin des années 90. Il oriente ses recherches sur Internet, consulte des dizaines d'articles, regarde des vidéos et visite les sites des plus grandes universités de sciences politiques à travers le monde. Harvard aux États-Unis, Oxford en Angleterre, Sciences Po en France... Il rêve secrètement de pouvoir un jour intégrer une de ces prestigieuses institutions.

Un matin, il se réveille à 7 h 30. À demi endormi, il regarde autour de lui à la recherche de sa mère. Il se rend compte qu'il est à la base et enfile son uniforme. Il traverse la cour en direction du réfectoire et s'installe sur un banc pour avaler un croissant « à la française » et un café allongé. Il regarde autour de lui, pense aux familles de tous ces soldats. Lequel d'entre eux va mourir aujourd'hui ? Peut-être est-ce son tour. Absurde. Ce n'est pas sa guerre. Il ne se sent ni français, ni afghan. Qu'est-ce qu'il fait là ?

Il termine son petit déjeuner et repart en sens inverse vers les tentes. Il lui reste une petite demi-heure avant le départ au front. Il entend quelques détonations au loin. Probablement des soldats français qui entraînent leurs homologues afghans.

Il s'allonge sur sa couchette et tente de s'assoupir mais les coups de feu sont de plus en plus rapprochés et soutenus. Il enfile son gilet pare-balles, se dirige vers l'entrée du camp et se trouve plongé au milieu d'une scène de guerre. Des dizaines de corps jonchent le sol, baignant dans des mares de sang. Il se réfugie derrière un véhicule blindé. Un militaire, arme au poing, lui fait signe de ne plus bouger. Des soldats français ont été pris pour cible pendant leur jogging. Aucun moyen de défense. Un carnage. Mohammad reste assis sur le sol pendant de longues minutes. La fusillade gagne en intensité. Il sait que si les Talibans s'introduisent dans le camp, il sera un des premiers à être exécutés.

Après une heure de combat intense, les assaillants prennent la fuite. Les soldats lui demandent de retourner à sa tente et de ne pas bouger jusqu'à nouvel ordre. Il s'allonge sur sa couchette sans retirer son gilet et éclate en sanglots.

Il sait qu'il devrait arrêter là, donner sa démission, mais sa famille compte sur lui. Son père ne travaille plus depuis un an, ses frères ont quitté la maison et il est devenu la seule source de revenu du foyer. Il n'a pas le choix.

Chaque jour, il part au front la peur au ventre. Il n'en parle pas, ne veut surtout pas inquiéter ses parents. À part eux, personne n'est au courant de son nouveau métier. Ses amis pensent qu'il est toujours serveur.

La plupart de ceux qu'il croise sur sa route, même s'ils ne sont pas talibans, détestent les troupes étrangères. Les chaînes de télévision qu'ils reçoivent au campement diffusent des images de l'armée reçue comme libératrice, mais c'est faux, les villageois haïssent les soldats français. Et cette haine n'est rien à côté de celle qu'ils ont pour les interprètes. Ce sont à leurs yeux des traîtres, des collaborateurs. Un jour, un homme lui a dit que ce qu'il faisait était pire que prostituer sa sœur et sa mère.

L'armée a besoin d'eux pour communiquer avec la population locale et l'armée afghane. Mais les soldats ne se rendent pas compte que certains des collègues de Mohammad sont des islamistes extrémistes. Ces types sont en possession d'informations top secrètes, les partagent à loisir et disent souvent exactement le contraire de ce qu'on leur demande de traduire. Il est témoin de tout ça, mais il ne dit rien. Il ne veut pas de problèmes. Il a pitié de ces militaires qui ne savent pas à quel point ils se font abuser.

Mohammad sature. Malgré le froid humide de décembre, je lui propose une balade en forêt. Nous traversons la rue principale du village et nous enfonçons dans le sol sablonneux au milieu des arbres sans feuilles.

Une demi-heure de marche en silence, puis la parole se libère à nouveau.

Embuscades, fusillades, combats de rue, attentats, prises d'otages, peur permanente. Après un an et demi au front, Mohammad se demande tous les jours par quel miracle il est toujours vivant.

François Hollande est élu président de la République et annonce qu'après onze ans de présence en Afghanistan les troupes françaises vont quitter le pays. Du jour au lendemain, Mohammad se retrouve au chômage. Les militaires le convoquent et l'interrogent. A-t-il reçu des menaces ? Ils lui déconseillent de rester en Afghanistan. Des espions au sein de l'armée afghane, sympathisants des Talibans, se sont procuré le nom des personnes qui ont collaboré avec les forces de la coalition. Ils l'incitent à réunir les documents prouvant qu'il a travaillé pour eux, se munir de son passeport et se présenter à l'ambassade française de Kaboul dès le lendemain. Un visa lui sera délivré et il faudra qu'il quitte le pays au plus vite.

Ils insistent, il faut absolument partir. Les interprètes seront les seuls sur qui les islamistes pourront exercer leur vengeance. Ils les tortureront pour leur soutirer des informations puis se débarrasseront d'eux.

En quelques jours, l'armée plie bagage.

Mohammad se rend à l'ambassade, espérant obtenir son visa rapidement. Il pense à sa famille, à ses amis. Il ne leur a encore rien dit, mais il n'a plus le choix, il va devoir les abandonner. Il tient à la vie et ne veut leur faire courir aucun risque. C'est le prix à payer pour sa collaboration avec l'armée française. Bien sûr, personne ne l'avait prévenu lorsqu'il a été engagé.

À l'ambassade, on lui demande de remettre son passeport et ses documents. En échange, il reçoit une somme représentant trois mois de salaire.

— Vous ne devez pas sortir de Kaboul et ne pouvez accepter aucun travail, quel qu'il soit. C'est clair ?

— Dans combien de temps pensez-vous que j'aurai mon visa ?

— Nous ne pouvons pas vous donner de délai. Il y a beaucoup de demandes.

— Les militaires m'ont conseillé de venir vous voir parce qu'ils pensent que je suis en danger. Chaque jour compte.

— Nous savons ça.

Le 15 mai 2014, je dépose ma demande de carte verte pour les États-Unis. Un dossier de 400 pages retraçant vingt-cinq ans de carrière cinématographique, tous les détails sur une dizaine de films réalisés, tous genres confondus, une vingtaine de lettres de recommandation, une centaine d'articles de presse... Deux semaines plus tard, je reçois une réponse positive. Un dernier rendez-vous, où je dois récupérer le précieux sésame, devrait avoir lieu d'ici quelques mois. Tout s'accélère : départ pour New York avec toute la famille, location d'une maison, inscriptions à l'école, déménagement. L'été passe et toujours pas de nouvelles du consulat. Puis c'est la rentrée des classes, le chat Jalapeño vient agrandir la famille et la date d'expiration de notre visa touristique approche. Finalement nous sommes obligés de rentrer en France pour attendre le rendez-vous qui n'aura lieu que trois mois plus tard. Pendant tout ce temps nous habitons chez ma mère, faisons suivre des cours par correspondance aux enfants, trouvons une baby-sitter pour le chat, payons le loyer de notre maison vide de Brooklyn et mettons entre parenthèses nos projets américains.

Le 15 décembre, nous nous présentons au consulat de l'ambassade américaine, place de la Concorde. Après un contrôle de routine, nous nous installons dans la salle d'attente. C'est un grand hall entouré d'une trentaine de guichets derrière lesquels apparaissent et disparaissent des officiers de l'immigration. Les numéros défilent sur des écrans de télévision installés aux quatre coins de la pièce. La personne qui va nous interroger a le pouvoir de décider si nous avons le droit ou non de vivre sur le sol américain. Nous ne sommes pas censés être déjà installés à New York. Nous aurions dû attendre le feu vert de l'administration pour louer une maison, faire notre déménagement et inscrire les enfants à l'école. Il ne faut pas mentir, les Américains détestent ça, mais pas non plus dire toute la vérité. Nous avons organisé plusieurs répétitions avec les enfants en préparation du jour J. Philomène, qui, du haut de ses seize ans, est une menteuse compulsive, a beaucoup de mal avec cet exercice.

— S'ils te demandent pourquoi tu parles si bien anglais, qu'est-ce que tu réponds ?

— Ma grand-mère me parle anglais depuis que je suis toute petite.

— Qu'est-ce que tu racontes ? Je t'ai dit de ne pas mentir. C'est pas compliqué, merde !

— Ah oui, désolée.

Pas gagné.

Au bout d'une heure d'attente, notre numéro apparaît enfin sur l'écran. Je prends une longue inspiration, me lève et me dirige vers le guichet numéro 10, mon chiffre porte-bonheur, suivi par Éléonore et les enfants. L'officier est une femme. Elle nous demande, en français, de nous présenter les uns après les autres. Elle passe les dix minutes suivantes à me poser des questions principalement sur mes films, et particulièrement sur le dernier, qui a reçu énormément de prix dans les festivals américains, ce qui nous a permis de postuler directement pour une carte verte. Je lui explique qu'Aurélio est l'acteur principal de ce long-métrage et qu'Éléonore y joue le rôle de sa mère. Une affaire de famille. Ça la fait sourire. Elle nous questionne ensuite sur nos projets américains, consulte longuement son ordinateur, puis nous observe quelques secondes.

— Je vais vous accorder le visa à tous les trois, mais pas à lui, dit-elle en désignant Aurélio.

Mon sang se glace. Impossible de partir sans lui. Nous avons déjà payé les frais de scolarité, loué notre appartement parisien, affrété un container avec notre déménagement, adopté un chat américain... Comment faire ? L'un de nous pourrait partir avec Philomène, pour qu'elle finisse au moins sa première année d'école, pendant que l'autre resterait à Paris avec Aurélio. Absurde !

Je relève la tête.

— Pourquoi ?

— Il risque de briser trop de cœurs en Amérique.

Nous échangeons avec Éléonore un sourire crispé.

— *Congratulations !*

Nous la remercions poliment.

Je retire mes mains du comptoir, deux flaques de sueur apparaissent.

Nous attendons d'être à l'extérieur du bâtiment pour laisser exploser notre joie.

Après trois mois d'attente, toujours aucune nouvelle de l'ambassade. Mohammad longe les murs, s'enferme chez lui à triple tour et ne répond plus au téléphone. Il a loué un studio dans le centre de Kaboul en attendant son visa. Il ne veut faire courir aucun risque à ses parents. Il écoute beaucoup de rap pour passer le temps. Il essaie de composer de nouveaux morceaux mais n'y arrive pas. Il n'a pas la tête à ça. Il recommencera à faire de la musique quand il sera en sécurité.

Il apprend par les réseaux sociaux que certains de ses collègues interprètes ont déjà quitté le pays et se sont installés dans différentes villes de France. Il retourne à l'ambassade pour demander des comptes. Cette situation est intenable, il est en danger, cela ne peut plus durer. On lui répond que son dossier est en cours d'étude. Mohammad insiste. L'homme derrière le comptoir hausse le ton, lui demande d'« arrêter de l'emmerder ». Il y a un fossé entre la manière dont les Français le traitaient quand il travaillait pour eux et le mépris qu'ils affichent maintenant.

Il n'a plus d'argent pour manger ni pour payer son loyer. Il doit trouver du travail malgré la consigne de l'ambassade. Il se met à distribuer son CV un peu partout dans Kaboul. Sachant qu'il n'a aucune chance d'être embauché s'il ne mentionne que son emploi de tailleur, il décide d'indiquer, même s'il a conscience du danger, qu'il a travaillé pour l'armée française. Il commence à recevoir des appels inquiétants. Ses interlocuteurs lui posent des questions très personnelles, qui n'ont souvent rien à voir avec le poste pour lequel il postule, puis raccrochent dès qu'il essaie d'en savoir davantage. Chaque fois qu'il se rend à un rendez-vous, il se demande si ce n'est pas un piège. Coup de chance, il trouve rapidement une place de serveur au restaurant de l'ambassade australienne. Il change de numéro de téléphone et remplace les serrures de son appartement.

Ses journées sont monotones et ses soirées terriblement angoissantes. Il prend le bus tôt le matin en direction de l'ambassade, en s'assurant que personne ne le suit. Il passe la journée au restaurant, emprunte le chemin inverse en fin d'après-midi et se barricade chez lui. Il voit de moins en moins sa famille.

Rohullah, son meilleur ami, est la seule personne qu'il fréquente. Ils se sont rencontrés à l'époque où Mohammad commençait à écouter du hip-hop. Ce dernier travaillait dans une boutique d'appareils photo et de musique. C'est lui qui lui a fait découvrir ses chanteurs et groupes favoris. Mohammad était très admiratif de cet adolescent issu d'une famille pauvre de la banlieue de Kaboul qui gérait seul ce magasin réputé du centreville. Ils passaient leurs soirées à écouter de la musique en rêvant d'un futur meilleur. Alors que Mohammad est sur le point de s'envoler pour l'Europe, Rohullah vient d'être engagé comme responsable financier de la plus grande université de la ville.

Le 9 février, quelqu'un frappe à sa porte. Mohammad n'attend personne. Rohullah a pour habitude de lui envoyer un texto ou de l'appeler avant de passer.

— Qui est-ce ?

Une voix d'homme, avec un fort accent pachtoune :

— Un paquet pour vous.

Mohammad panique. Paralysé, il fixe le sol sans savoir comment réagir. Tout à coup, le « livreur » se met à frapper violemment contre la porte. Aucun doute, ils sont venus pour l'égorger. Il attrape un sac à dos, prend quelques affaires, y glisse son ordinateur et grimpe sur une chaise. Il ouvre la fenêtre qui donne sur une terrasse et se hisse hors de la pièce. Il rampe sur le toit puis saute dans la rue. Il court sans se retourner. Il se réfugie dans une mosquée, s'assoit sur un tapis et reprend son souffle. Un vieil imam s'approche de lui pour le prévenir qu'il va bientôt fermer le lieu de culte. Mohammad lui explique qu'il est en danger et qu'il ne peut pas ressortir. Le vieux lui propose de passer la nuit dans la salle des prières même si c'est normalement strictement interdit. Il doit promettre d'être silencieux. Il le remercie chaleureusement. L'imam sort et l'enferme à l'intérieur.

Le lendemain, retour à l'ambassade française. Il raconte la tentative d'assassinat à laquelle il vient d'échapper et demande un visa sur-le-champ. Malgré ses explications, le fonctionnaire lui repose les mêmes questions que la première fois qu'il s'est présenté devant ce guichet, sept mois auparavant. Mohammad s'énerve et exige de parler à l'ambassadeur. On lui rit au nez. Il demande à récupérer son passeport mais se fait une nouvelle fois jeter dehors. Que faire ? Il ne peut retourner ni chez lui ni sur son lieu de travail. Il déambule dans les rues de Kaboul, cherche une solution. Il n'a plus le choix, il faut qu'il s'en aille au plus vite. Il entre dans un café Internet et consulte la liste des endroits hébergeant des bureaux du Haut Commissariat des Nations unies pour les réfugiés. L'agence la plus proche se trouve au Pakistan, mais ce pays est principalement peuplé de sunnites, trop dangereux pour un chiite comme lui. Il y en a une en Turquie, mais le délai d'attente est de plusieurs années. La seule à même de traiter sa demande dans un temps raisonnable se trouve au Sri Lanka. Pour s'y rendre, il a besoin d'un visa. Mais pour avoir un visa, il lui faut un passeport. Il contacte un policier, ami de Rohullah, et obtient, moyennant un gros bakchich, qu'il lui refasse ses papiers en un temps record. En Afghanistan, un des pays les plus corrompus du monde, tout s'achète. Des cartes de crédit, des faux papiers, des vraies armes, des drogues douces et dures, des diamants volés, des uniformes de policiers, des explosifs, des médicaments périmés, des œuvres d'art, des organes, des films porno, du pétrole, de l'uranium, de l'ivoire ou du viagra.

Muni de son passeport flambant neuf, il file à l'ambassade du Sri Lanka qui lui délivre un visa dans la foulée, puis se procure un aller simple sur le prochain vol en direction de Colombo.

Papiers en règle et billet en poche, il passe voir sa mère.

— Maman, je vais partir, je ne sais pas combien de temps, je ne sais pas quand je reviendrai, je ne sais pas si on se reverra un jour, mais je t'aime.

Ils tombent dans les bras l'un de l'autre, en larmes.

Souvent, quand il n'allait pas bien, il la rejoignait dans la cuisine : « Viens, maman, on va se promener. » Il chérissait ces moments. C'était sa seule amie, il l'adorait. Elle était douce, elle était drôle, elle était belle. Au moment de se dire au revoir, les souvenirs refont surface : l'odeur du henné dans ses cheveux, du parfum à la rose sur sa peau, la douceur de son vieux châle en cachemire, le goût des galettes farcies à la viande hachée qu'elle préparait spécialement pour lui, la fraîcheur du *doghe*, boisson rafraîchissante au yaourt et à la menthe qu'elle lui servait l'été à l'ombre du grenadier, et enfin le trajet en bus de Téhéran à Kaboul, collés l'un à l'autre sur la banquette arrière, qu'il aurait voulu prolonger éternellement.

— Ça va être un long voyage, maman, mais c'est la vie.

Son père les rejoint. Il est en colère. Il refuse qu'il parte. Il lui dit qu'il pourrait rester caché le temps que les Talibans l'oublient. Mohammad lui explique qu'ils ont déjà tué plusieurs de ses anciens collègues. Il ne veut pas être le prochain sur la liste.

— Comment tu vas faire ? Où tu vas trouver l'argent ?

— Ne t'inquiète pas, papa, je vais me débrouiller.

— Dieu te protège, mon fils.

Sur le chemin de l'aéroport défilent les maisons, les hommes, les femmes, les enfants, les chiens errants, les mûriers, les saules et les peupliers. Il fait ses adieux à ce monde qu'il ne reverra sûrement jamais. Il n'est pas triste de quitter ce pays mais désespéré d'abandonner sa famille et son ami Rohullah.

Je voudrais en savoir plus, creuser, lui demander des détails sur sa relation avec sa mère. D'où leur venait cette complicité ? Est-ce sa position de petit dernier qui le rapprochait tant d'elle ? Pourquoi parle-t-il aussi peu de son père ? J'hésite. Je ne veux pas le braquer. Je sens qu'il est en confiance. Je pèse le pour et le contre... Il me prend de vitesse.

— Et toi, c'était comment quand tu es parti ?

Même si c'était un choix, je me souviens de ce sentiment de trahir mes proches, de leur lancer au visage : « Je m'en vais car je n'ai plus besoin de vous. » C'est évidemment beaucoup plus complexe, mais on ne peut s'empêcher de culpabiliser.

Pour nous, ça a eu lieu le lendemain de notre rendez-vous au consulat. Nous avons embarqué dans le premier avion pour New York. Après quarante-cinq ans passés à Paris, j'étais enthousiaste à l'idée de découvrir un nouveau monde, rencontrer des personnes différentes et vivre de nouvelles expériences professionnelles. Les quelques mois que nous y avions passés avant notre retour forcé nous avaient confirmé le potentiel exaltant de Brooklyn et confortés dans notre choix. Je n'avais aucun regret de quitter ma ville natale. Juste un pincement au cœur en laissant derrière moi ceux que j'aimais.

À peine arrivé à la maison, je me suis éclipsé dans mon bureau pour écrire un e-mail à ma mère :

Maman,

Nous voilà arrivés à Brooklyn. Quel dépaysement ! Quelle folie !

Éléonore et les enfants m'ont dit que tu étais très triste... Moi aussi, bien sûr. Je suis partagé entre le plaisir et l'excitation de vivre cette aventure incroyable et la peine de m'éloigner de vous.

Ne t'inquiète pas, nous allons nous voir souvent. Tu vas bientôt venir nous rendre visite, nous serons là pour Noël et j'ai un projet de film en France au printemps prochain... Ce sera plus sporadique, mais très intense.

Nous sommes inséparables.

Je t'aime.

Benoit

Sa réponse ne s'est pas fait attendre.

Mon Benoit,

Merci pour tes mots si tendres qui me touchent tant.

J'ai fait ma crâneuse, mais quand Éléonore a rebroussé chemin pour me faire un dernier baiser, j'ai craqué...

Je suis pourtant si heureuse pour vous de cette nouvelle aventure, si fière que vous ayez géré l'incroyable complexité entraînée par ce grand départ.

Je connais ton énergie et ton efficacité, mais une nouvelle fois, tu m'as bluffée !

Ne t'inquiète pas pour moi, New York, c'est la porte à côté (heureusement j'en ai les moyens :-), une mine d'inspiration et un nouveau bonheur d'y aller pour vous voir.

Bye bye mon inséparable, see you soon.

Love

Mum

Mohammad aime que je lui parle de ma mère. C'était notre marché. Donnant-donnant. Il se confie à moi mais peut me poser des questions sur ma famille à tout moment. Pour l'instant, il n'en abuse pas.

La journée touche à sa fin. Nous avons encore tant de choses à nous dire. Mohammad suggère que nous repartions après dîner. Il aurait aimé passer la nuit sur place mais doit impérativement être à Paris le lendemain matin. Il propose de nous concocter un repas iranien. Nous arrivons à l'épicerie du village juste avant la fermeture et nous procurons les ingrédients nécessaires. Au moment de passer en caisse, il insiste pour payer. Je me laisse faire. À peine rentré à la maison, il se met aux fourneaux. J'en profite pour nous préparer un Hugo, cocktail à base de sirop de fleur de sureau, citron vert et champagne, inventé par mon ami Dominique, barman du Rosebud, bar mythique de Montparnasse où j'ai gardé mes habitudes.

Nous trinquons.

— À l'avenir.

— C'est la meilleure chose que j'aie jamais bue depuis très longtemps, dit-il.

Mohammad découpe la viande de bœuf, épluche les carottes, pèle les tomates, fait bouillir les lentilles corail, écrase les gousses d'ail, effeuille la coriandre et dose le piment. Je lui propose mon aide. Il refuse fermement. Je suis son invité ce soir. Alors qu'il finit d'émincer quelques oignons jaunes, il se tourne vers moi, un long couteau à la main, et me regarde droit dans les yeux.

— On est seuls tous les deux et là, maintenant, je pourrais t'égorger au nom d'Allah.

Je marque un temps, cachant difficilement ma surprise.

— Tu pourrais, oui.

— Tu vois, c'est pour ça que je trouve que ce que ta mère a fait est incroyable.

Je nous ressers un verre et relance l'enregistreur.

Lorsqu'il arrive à l'aéroport, Mohammad se dirige directement vers la salle d'embarquement. La totalité des affaires qu'il emporte avec lui tiennent dans un sac à dos qu'il n'a pas besoin d'enregistrer. Il se retrouve face à un douanier qui le scrute d'un mauvais œil.

— Votre destination ?

Accent pachtoune. Mauvais présage.

— Colombo, Sri Lanka.

Il montre le visa électronique délivré par l'ambassade. On lui rétorque qu'il a besoin d'un document papier. Il faut qu'il aille se le procurer au ministère des Affaires étrangères.

— Mon vol décolle dans moins d'une heure. Si je ne prends pas cet avion, je perds mon billet.

Son interlocuteur s'énerve et lui ordonne de libérer la place. Mohammad sort un billet, le glisse sur le comptoir et demande à parler au chef de l'aéroport. Le militaire empoche l'argent et le conduit à l'autre bout de l'aérogare dans un bureau vitré. Il lui fait signe de s'asseoir et d'attendre. De longues minutes s'écoulent. Mohammad est en train de rater son avion. Une colère sourde monte en lui.

Au moment où une voix résonne dans les haut-parleurs annonçant un retard d'une demi-heure pour le vol en direction de Colombo, un petit homme adipeux, en sueur, entre dans la pièce. Il s'installe en face de lui et le toise d'un air méprisant.

— Tu vas où ?

— Au Sri Lanka.

— Pour faire quoi ?

— Des études.

— Tu es riche alors.

— Non, je ne suis pas riche. Je travaille depuis plusieurs années dans une usine de textile. J'ai mis de l'argent de côté.

L'homme sourit, découvrant une rangée de dents noires. Ce type lui donne envie de vomir. Mohammad extrait les deux derniers billets de son portefeuille et les pose sur le bureau.

— S'il vous plaît.

Les haut-parleurs annoncent la fermeture imminente de l'enregistrement du vol UL217 de Sri Lankan Airlines.

— S'il vous plaît.

L'officier appelle un de ses hommes dans le bureau d'à côté et lui demande de l'escorter jusqu'à la porte d'embarquement. Au moment de passer le dernier portique, il lui glisse à l'oreille :

— On sait que tu dois faire escale à Dubaï. Nos collègues des Émirats s'occuperont de toi à ce moment-là.

Avant de lui rendre son passeport, il note quelque chose sur la dernière page. Mohammad essaie de déchiffrer son écriture illisible.

— Qu'est-ce que c'est?

— Ta gueule, connard.

Il passe l'ultime poste de sécurité et s'engage sur le tarmac pour rejoindre l'avion en prenant soin de ne pas se retourner.

Le 27 janvier 2014, à 20 h 20, le cœur lourd, il s'envole vers l'inconnu.

Même jour. Même heure.

Ma mère est dans son lit, le dos calé sur deux coussins moelleux. Elle écoute la radio d'une oreille distraite en feuilletant un magazine. Ce soir, son ami Richard Rechtman, psychiatre et anthropologue spécialisé sur la question des migrants, est l'invité de Laure Adler.

Elle pose son journal.

« *Vous expliquez comment, progressivement, le demandeur d'asile, qui était accepté comme une victime, voulant trouver la liberté sur notre territoire, la France, terre d'exil, s'est transformé en quelqu'un qui n'est pas accueillable, qui n'est pas acceptable, qui est devenu une personne qu'on va soupçonner et finalement rejeter.*

— Je suis parti d'une interrogation assez simple : comment se fait-il qu'au début des années 80 à peu près 80 % des personnes qui demandaient l'asile l'obtenaient, et pourquoi, pendant les années 2000, il n'y en a plus que 8 à 10 % ? Comment c'est possible ? Pas d'un point de vue moral, mais technique. Comment on fait ça ? Comment on élimine 70 % des demandeurs d'asile ? Comment on transforme les demandeurs d'asile en menace ? Ce sont des gens menacés dans leur

103

pays et on les transforme en menaces dont il va falloir se débarrasser. La Convention de Genève dit clairement que toute personne qui risque d'être persécutée ou qui a été persécutée justifie du droit d'asile. Alors après se pose la question : comment prouve-t-on que quelqu'un a été persécuté ? Les bourreaux, les tortionnaires ne délivrent pas de certificat de maltraitance, "Je soussigné certifie avoir pratiqué la torture...", il n'y a pas de traces. Et même les traces physiques sont incertaines. Il a pu se faire mal quand il était petit, il a pu se casser un os et avoir été mal soigné... Est-on sûr que cette personne a été victime de torture ? Alors on s'est dit que peut-être que la meilleure manière de prouver la réalité de la persécution, ce serait le traumatisme psychique. Si le demandeur d'asile présente une séquelle psycho-traumatique, alors c'est qu'il a bien été persécuté. Et de ce fait, celui-là, on est sûr qu'il fait partie des bons. Vous voyez ce que je dis : "Les bons." Quelle horreur ! Il y aurait des bons réfugiés et des mauvais réfugiés. Ceux qui peuvent prouver la réalité de leur souffrance, des risques qu'ils ont encourus, et ceux qui ne pourraient pas. Mais le traumatisme psychique, tout le monde ne le développe pas. Ça ne veut pas dire que l'événement n'a pas eu lieu. Les chiffres statistiques, scientifiques, sont très clairs : seulement un tiers des personnes soumises à un événement hors du commun développent un état de stress post-traumatique. Ça ne signifie pas que les deux tiers restants n'y étaient pas. Ça veut simplement dire qu'ils ne développent pas ce trouble-là. Or, là, on restreint au maximum les conditions de l'asile, au nom de quelque chose qui est scandaleux, c'est la défense non plus des demandeurs d'asile, mais de l'asile lui-même. L'asile est quelque chose de tellement fort qu'il faut être sûr que ceux à qui on l'accorde le méritent. Et puis les autres deviennent des clandestins.

— Comment se fait cette sélection ?

— Ce qui est terrible, c'est que l'administration, très puissante dans ce domaine, demande aux gens les plus hostiles à ce genre de pratique, les bénévoles, les travailleurs sociaux, les médecins, engagés du côté de l'aide aux réfugiés, de présélectionner les cas en disant : "Non, celui-ci ne passera jamais à la commission des recours ou à l'OFPRA, celui-ci, on n'est pas sûr d'avoir les preuves suffisantes…" La mauvaise conscience que la société devrait avoir, finalement, ce sont les acteurs au quotidien qui l'ont. Et au bout du compte, les chiffres ne changent pas. Ils sont toujours extrêmement restreints. Le plus redoutable, c'est que, dans nos sociétés démocratiques, par opposition aux sociétés totalitaires, ceux qui font la sélection des populations sont ceux qui sont le plus hostiles à ce même principe de sélection. On leur laisse le loisir d'inventer les critères justes de l'injustice qu'ils dénoncent. C'est tragique. »

Des larmes coulent sur les joues de ma mère sans qu'elle cherche à les retenir. Tout se mélange dans sa tête. Elle se souvient des parties de belote l'été dans l'Aveyron avec mon père, Marc, un autre ami psychiatre, Richard et moi. Bonheur insouciant. Elle attrape un mouchoir et se mouche bruyamment. Privilège de la solitude. Comment est-ce possible ? Comment peut-on décider qu'il y a 2 places, 10 places, 100 places, et puis tout arrêter d'un coup ? Ce serait comme voir deux personnes se noyer et choisir de n'en sauver qu'une.

Nous sommes installés à la grande table de ferme qui trône au milieu de la cuisine. *Soup-e jo* au poulet en entrée suivi d'un *khoresht qheymeh* au bœuf. Mohammad est ravi de partager avec moi la culture de son pays de naissance. Ce sont ses deux plats favoris. Il a appris à les cuisiner très jeune lorsqu'il habitait encore en Iran. Le plat principal lui rappelle les mariages et les enterrements au cours desquels ce ragoût était systématiquement servi. Je me régale.

— La prochaine fois, je te préparerai un risotto à la citrouille, au bacon et à la sauge à Brooklyn.

Nous levons nos verres à cette perspective heureuse. Il reprend son récit.

Arrivée à Colombo. L'air est humide, il fait chaud. Mohammad ne connaît personne et ne parle pas le cingalais.

Il a caché, au fond de son sac à dos, une enveloppe avec quelques centaines de dollars gagnés à l'ambassade d'Australie. De quoi tenir deux ou trois mois. Il prend un taxi et lui demande de l'accompagner dans l'hôtel le moins cher de la ville. Il lui précise qu'il n'est pas un touriste. Il atterrit dans une chambre minuscule, sans fenêtre, au loyer mensuel de cent dollars. L'endroit est sordide. De gros insectes rampent sur le sol crasseux. Il partage les sanitaires avec les autres locataires, majoritairement des ouvriers sri-lankais. Les meilleures chambres se trouvent au dernier étage et sont occupées par des vacanciers de passage.

Il se rend directement au bureau des Nations unies, montre son dossier et passe un entretien. On l'informe que, à partir de ce jour, il est considéré comme demandeur d'asile. Pour obtenir ce statut, il faut quitter son pays, se rendre dans un autre pays et attendre que les Nations unies vous envoient dans un troisième pays. Il parle anglais, donc, pour lui, ce sera le Canada ou les États-Unis. Il aurait préféré l'Australie, mais on ne lui laisse pas le choix. Ce sont les fonctionnaires qui arbitrent en fonction des places disponibles. Il faut qu'il s'habitue à l'idée que d'autres vont décider à sa place de l'endroit où il va poursuivre son existence.

Il reste à Colombo pendant plusieurs mois en attendant que le verdict tombe. En tant que demandeur d'asile, il a le droit de séjourner sur le territoire, mais pas d'y travailler. S'il enfreint cette règle, il sera immédiatement expulsé. Pas question de prendre un tel risque. Heureusement, Rohullah, son ami de Kaboul, lui envoie de quoi tenir quelques semaines de plus.

Il est très seul. Il passe ses journées sur la plage à boire de la bière. C'est là qu'il fait la connaissance de deux autres Afghans, Jawad et Bagher, en attente eux aussi d'une réponse des Nations unies. Cette rencontre est une bénédiction. La solitude était devenue insupportable. Ils sont hazaras comme lui. Grand bonheur de parler dans sa langue natale et d'échanger des souvenirs du pays.

Ils traînent ensemble jour et nuit, rient beaucoup, partagent leurs repas et dorment sur la plage à la belle étoile.

Au bout de six mois, alors que l'excitation de leur amitié naissante a petit à petit laissé place à une routine déprimante, le gouvernement sri-lankais entre en conflit avec les Nations unies. Du jour au lendemain, la police commence à arrêter tous les demandeurs d'asile, à les emprisonner et à les expulser. Mohammad et ses deux amis quittent précipitamment la ville pour aller se cacher à Dehiwala, à une vingtaine de kilomètres de Colombo. La police élargit petit à petit son périmètre de recherches, les obligeant à se déplacer en permanence. Ils passent de village en village en rasant les murs. Dès qu'ils croisent un militaire ou un policier, ils changent de trottoir, font demi-tour et accélèrent le pas. Ils se réfugient sur des plages désertes et restent cachés jusqu'à la tombée de la nuit. Il fait de plus en plus chaud et l'argent commence à manquer cruellement. Ils mangent peu, économisant les roupies qu'il leur reste pour acheter de la bière. Boire les apaise.

Mohammad a perdu beaucoup de poids. Il est épuisé. C'est un miracle qu'ils ne se soient toujours pas fait attraper. Ils vivent comme des hors-la-loi, des assassins, alors qu'ils ne cherchent qu'à sauver leur peau.

Leur hantise : être renvoyés en Afghanistan. Sachant qu'il faudrait, au préalable, transiter par un centre de rétention, zone de non-droit, à la réputation terrible.

Je raconte à Mohammad que j'ai moi-même été en centre de rétention. Il plisse les yeux. Qu'est-ce que je veux dire par « *I was in a detention center myself* » ?

Au printemps 2009, scandalisé par le sort réservé aux sans-papiers par le gouvernement du président Sarkozy, je m'étais lancé dans l'écriture d'un long-métrage sur le sujet. Cela faisait plusieurs mois que j'essayais d'obtenir des papiers pour Amparo, une femme équatorienne d'une cinquantaine d'années qui travaillait chez nous à l'époque. Elle habitait en France depuis plus de vingt ans mais n'avait jamais réussi à se faire régulariser. Son tort : ne pas avoir d'enfant. Elle faisait partie de la famille, mais nous savions qu'à tout moment, pour un simple contrôle de routine, elle pouvait être arrêtée et envoyée à l'autre bout du monde. Insupportable épée de Damoclès au-dessus de sa tête depuis plus de deux décennies.

Le film s'intitulait *L'Étrangère*. Il racontait la rencontre entre un Tunisien en situation irrégulière et une bénévole de la Cimade, organisme qui s'occupe de vérifier le traitement fait aux étrangers placés dans les centres d'accueil et le respect de leurs droits. Les deux protagonistes tombent amoureux et elle décide de l'épouser pour qu'il obtienne des papiers. Début d'un long chemin de croix.

Pour pouvoir écrire ce scénario au plus près de la réalité, je me suis fait engager comme stagiaire par l'association et j'ai réussi à pénétrer dans le centre de rétention de Rennes.

Je me rappelle être arrivé dans la ville bretonne par le train du matin. Claire, une des femmes de la Cimade, est passée me prendre à la gare en voiture. Nous sommes sortis de l'agglomération rennaise et avons roulé en rase campagne jusqu'à une bâtisse ultramoderne construite au milieu de nulle part. Ce nouveau centre venait d'être inauguré malgré la résistance de nombreuses associations et plusieurs procès en cours. Les autorités avaient choisi de programmer son ouverture pendant les vacances d'été, afin de rendre la mobilisation de soutien aux sans-papiers plus difficile. Nous nous sommes garés sur le grand parking désert, puis présentés à la guérite de contrôle. Après inspection de nos papiers et passage de plusieurs portiques de sécurité, nous nous sommes retrouvés dans l'enceinte du centre. Même s'il était stipulé dans le règlement que les occupants du lieu devaient être appelés « retenus », et non « détenus », il était évident que nous nous trouvions en prison. Nous avons traversé une cour intérieure où erraient quelques hommes désœuvrés avant de rejoindre le réfectoire, grande pièce éclairée au néon dans laquelle étaient fixés au sol des tables et des bancs en métal. Tous les visages se sont tournés vers nous. Tension palpable. Claire m'avait prévenu sur le chemin que quatre migrants venaient d'entamer une grève de la faim à la suite d'un incident survenu la veille. Une jeune Roumaine enceinte, prise d'un malaise, avait perdu son bébé lors de son transport à l'hôpital.

Nous avons regagné le petit bureau de la Cimade en longeant le haut grillage du quartier réservé aux femmes et aux enfants. C'est dans ce local que Claire recevait à tour de rôle les détenus pour les aider à préparer leur défense en vue de leur présentation devant le juge.

Chaque sans-papiers qui passait dans ce bureau racontait l'histoire d'une vie tragique que le séjour en rétention ne ferait qu'aggraver.

— Les personnes enfermées vivent dans un stress permanent. D'un jour à l'autre, on peut venir les chercher et les expulser. Et même s'ils ont finalement le droit de rester sur le territoire, quand ils sortent, ils sont totalement démunis. Après un mois ici, ils n'ont plus d'appartement parce qu'ils n'ont pas payé leur loyer, ils n'ont plus de travail parce que leur patron les a remplacés et ils se retrouvent à la rue.

L'après-midi, nous accompagnons un Nigérien au tribunal administratif.

Après une attente interminable dans un couloir sans fenêtre où défilent des avocats commis d'office accompagnés de leurs clients, l'homme se retrouve debout devant le juge.

— Je suis dégoûté par moi-même. Je n'ai aucune perspective. Et, au bled, c'est pire. Là-bas, on meurt de faim. Dans certaines familles, on ne mange qu'un jour sur deux. Aujourd'hui, ce sont les parents, demain les enfants. En partant, j'ai tout laissé derrière moi. Rentrer reviendrait à tout perdre une seconde fois. Ou plutôt à perdre la seule chose qu'il me reste : l'espoir. C'est cet espoir têtu qui me permet de tenir au quotidien. Si vous m'enlevez ça, c'est fini. Vous savez, monsieur le juge, dans mon pays, on dit que vous êtes grands parce que nous sommes à genoux. Voilà, je suis à genoux devant vous et je vous supplie de ne pas me renvoyer là-bas.

Le procureur prend alors la parole.

— Tout cela est très touchant. Monsieur N. a un vrai sens du verbe, ce qui d'ailleurs, au passage, nous fait douter de la réalité de ses affirmations lorsqu'il prétend venir d'un village où les gens meurent de faim, mais ce n'est pas le sujet ; Monsieur N. est entré de façon illégale sur le sol français et y a travaillé avec de faux papiers, ce qui constitue...

Je me tourne vers Claire qui a placé ses mains sur ses oreilles et fixe le sol.

À mon retour à Paris, j'écris un texte intitulé « Tous des êtres humains » qui sera publié dans *Libération* quelques jours plus tard. Cette tribune se conclut par une citation de Jeanne Moreau : « *C'est en ma qualité de citoyenne française, plus que jamais attachée à la liberté, à l'égalité et à la fraternité que j'ai le devoir de vous rappeler que vous n'avez pas, monsieur le ministre, le droit de vie ou de mort sur des hommes et des femmes ou des enfants qui travaillent, vivent, étudient ici en France, pays aujourd'hui déshonoré.* »

Le lendemain de la parution de l'article, je découvre, incrédule, sur mon téléphone portable, un message du ministère de l'Immigration qui m'ordonne de rappeler immédiatement pour expliquer comment j'ai réussi à pénétrer dans l'enceinte de ce centre. *Big Brother is watching you.*

Finalement, ce projet ne verra jamais le jour. Un autre réalisateur s'étant emparé du même sujet a signé un très beau film, qui, grâce à son succès, a réussi à créer la polémique et ouvrir le débat. Quelques mois plus tard, un député a déposé une proposition de loi visant à dépénaliser le «délit de solidarité», mais cette dernière a été rejetée par l'Assemblée nationale.

Le ciel est étoilé. Il fait froid. Nous nous emmitouflons dans nos manteaux et nous installons sur des fauteuils au milieu du jardin. Je sors deux havanes d'un étui en cuir usé. Mohammad, fumeur de cigarettes, m'avoue n'avoir jamais essayé le cigare. Dès les premières taffes, je comprends qu'il apprécie. Il laisse doucement échapper la fumée épaisse de sa bouche en fermant les yeux.

Un nouveau monde.

Après plusieurs semaines passées à jouer au chat et à la souris avec la police, Mohammad, Jawad et Bagher apprennent que le gouvernement a trouvé un accord avec les Nations unies. Ils rentrent à Colombo.

N'ayant toujours pas de nouvelles de son statut de demandeur d'asile, Mohammad commence à envisager d'autres alternatives. Sur Internet, il découvre que la Suisse est le seul pays au monde à offrir un « visa humanitaire ».

Il se présente le jour même à la réception de l'ambassade helvète.

— Est-ce que je peux parler à un responsable de l'immigration ?

— Quel est votre problème ?

— J'ai besoin d'un visa.

— Sous quel régime ? Vous n'êtes même pas sri-lankais.

— Je voudrais présenter une demande de visa humanitaire.

La réceptionniste le prie de patienter dans le hall. Elle disparaît quelques minutes puis revient avec un document à remplir.

Une semaine passe avant qu'il ne soit reçu par un officier à qui il expose sa situation. Enfin quelqu'un qui l'écoute. Son interlocuteur est choqué que les militaires l'aient abandonné de la sorte. Il lui propose de se rendre en personne à l'ambassade de France pour défendre son cas.

— Je n'ai pas envie d'aller en France.

— Ah bon, pourquoi ? C'est pourtant la patrie des droits de l'homme…

— J'ai lu sur Internet qu'il est de plus en plus difficile d'obtenir le statut de réfugié là-bas.

— Si j'arrive à vous avoir un rendez-vous, je vous conseille de ne pas tergiverser et de saisir votre chance.

Deux jours plus tard, l'officier lui téléphone pour lui donner le numéro personnel de Marc Lamy, conseiller à l'ambassade de France. Mohammad contacte aussitôt ce dernier. Le diplomate lui donne rendez-vous le jour suivant et, ne sachant pas qu'il dort sur la plage, l'encourage à ne pas bouger de chez lui.

Le lendemain, Mohammad se retrouve assis face à un homme d'une cinquantaine d'années, grand, costaud, les cheveux très courts, qui l'écoute patiemment raconter son histoire.

— Connaissez-vous quelqu'un en France qui pourrait vous accueillir ?

— Oui. Un cuisinier qui travaillait pour l'armée française à Kaboul. Il s'appelle Marc, comme vous, et vit à Sarrebourg, en Lorraine. Nous sommes restés en contact.

— Très bien. Je vous promets que je vais m'occuper de votre cas.

— Monsieur, avec tout le respect que je vous dois, j'ai déjà tellement entendu cette phrase. Cette fois-ci, faites quelque chose pour moi, je vous en supplie.

— Je ne vous laisserai pas tomber. Vous avez ma parole.

Il lui précise que, s'il lui obtient un visa, il faudra qu'il prenne en charge son billet d'avion.

En le raccompagnant, il lui tend sa carte de visite sur laquelle il a noté : « Si vous arrêtez cette personne, appelez ce numéro. » Il lui offre aussi deux tee-shirts à l'effigie de l'ambassade.

— Avec ça, vous passerez plus facilement pour un touriste.

Mohammad s'installe dans le café Internet le plus proche et appelle Rohullah à Kaboul. Il lui annonce la bonne nouvelle : les Français semblent enfin s'occuper de son cas. Il est tout près du but mais a encore besoin de son aide. 385 $ pour un aller simple Colombo-Paris. Sans hésiter, son ami lui propose de vendre son ordinateur portable pour l'aider à payer son billet. Mohammad culpabilise. Rohullah travaille depuis six mois dans une agence de graphisme et se sert quotidiennement de son ordinateur. N'ayant aucune autre possibilité de se procurer cet argent, Mohammad finit par accepter. Il lui revaudra ça.

Deux semaines s'écoulent. Mohammad ne quitte pas la plage sur laquelle il s'est réfugié avec Jawad et Bagher. Ils se ravitaillent après la tombée de la nuit pour être sûrs de ne pas faire de mauvaises rencontres.

Coups de téléphone réguliers à l'ambassade. Le conseiller lui répète qu'il n'a toujours pas de nouvelles de Paris, mais qu'il doit se tenir prêt.

— Nous aurons une réponse avant la fin de la semaine. S'ils ne nous donnent pas leur accord d'ici là, c'est que la demande n'a pas été prise en compte. Malheureusement, ça ne dépend plus de moi.

Et puis, le vendredi matin, un SMS : « Viens à 11 heures. Je te donnerai ton visa. »

Mohammad s'assoit dans le sable et pleure. Ses deux amis le prennent dans leurs bras.

La personne à l'accueil de l'ambassade, visiblement au courant, lui dit qu'il doit d'abord aller récupérer son passeport aux Nations unies, pour qu'ils puissent y apposer le visa.

Il repart en sens inverse. Au moment où il débouche sur l'avenue qui mène au building des Nations unies, il tombe sur deux policiers qui progressent dans sa direction. Il baisse la tête, se concentre sur ses pieds, en essayant de ne pas ralentir. Absurde de se faire arrêter maintenant. Arrivés à son niveau, les deux flics, en pleine discussion, passent à côté de lui sans lui prêter attention. Il reprend son souffle et accélère le pas.

Aux Nations unies, on ne veut pas lui rendre son passeport. Il y a une procédure à respecter. Il a déposé une demande officielle et doit attendre la réponse avant d'engager d'autres démarches.

— Vous ne servez à rien. On est venus vous voir en pensant que vous alliez nous protéger. La police nous arrête tous, les uns après les autres, et vous ne faites rien pour l'en empêcher.

— Monsieur, nous multiplions les réunions et les rendez-vous avec le gouvernement pour que les choses changent. Mais c'est un processus lent.

— En attendant, nous continuons à être emprisonnés et expulsés. Alors, s'il vous plaît, rendez-moi mon passeport et on en reste là. Je ne vous demande rien de plus.

La femme derrière le comptoir lui fait signe d'attendre et disparaît dans un bureau. Il regarde autour de lui. Rien n'a changé depuis le jour où il s'est présenté la première fois dans ce hall, il y a presque un an. Il est à bout de forces. C'est sa dernière chance. S'il échoue à nouveau, il craint de sombrer dans la folie.

Au bout d'une demi-heure, la femme revient. Elle s'approche de lui, sourire aux lèvres, et lui tend son passeport.

— Je suis désolée. Bon courage.

Il ressort en trombe et marche à grandes enjambées jusqu'à l'ambassade. Il se retrouve dans le bureau de Marc. Ce dernier confie le passeport de Mohammad à son assistant.

— Réserve un billet sur le vol de ce soir pour Paris. N'attends pas.

— La France a fini par tenir sa promesse.

À la manière dont Marc soupire, Mohammad comprend qu'il n'a jamais reçu de réponse de ses supérieurs. Il a lui-même pris l'initiative de délivrer ce visa malgré le silence de l'administration. Il a voulu réparer la trahison de son pays, contrebalancer la lâcheté et le cynisme des autorités, la morgue de cette armée qui laisse derrière elle des hommes condamnés à mort. Mohammad a envie de serrer Marc dans ses bras mais se contente de lui adresser un sourire reconnaissant.

L'assistant réapparaît. Il donne le passeport à son supérieur et s'éclipse à nouveau. Après vérification, son ange gardien lui remet le précieux sésame accompagné de quatre billets de cinquante euros

— Bonne chance.

Ses adieux à Jawad et Bagher sont déchirants. Pendant quatre mois, ils ne se sont pas quittés. Ils ont tout partagé et se sont entraidés sans jamais faiblir. Ils ont trouvé ensemble la force de tenir. Avec la certitude qu'un jour ils allaient échapper ensemble à cet enfer. Alors pourquoi lui et pas eux ? Ils ont exactement la même histoire. Ils fuient la même guerre, la mort, et ont eux aussi tout perdu. L'injustice est terrible.

— On se reverra de l'autre côté.

Longue accolade. Il s'en va.

Mohammad file directement à l'aéroport, se présente au comptoir d'Air France et achète un billet. Il attend quatre heures avant de pouvoir embarquer. Au moment de passer la douane, un officier lui dit que son visa pour le Sri Lanka est périmé et qu'il est donc en situation irrégulière. Il risque d'être emprisonné et renvoyé en Afghanistan. Il doit se ranger sur le côté et attendre la police. Uppercut. K.-O. debout.

Tout à coup, une idée. Il sort de la poche de son pantalon la carte de Marc et demande à l'officier d'appeler le numéro de portable qui se trouve dessus.

— Il est minuit passé.

— C'est un ami. Il m'a dit que je pouvais l'appeler à n'importe quelle heure du jour et de la nuit. Essayez s'il vous plaît.

Le douanier décroche son téléphone et compose le numéro. Mohammad entend les sonneries dans le vide. Une, deux, trois, quatre... Alors que le type s'apprête à abandonner, Marc décroche. L'officier s'excuse de le déranger, lui explique la situation et écoute attentivement son interlocuteur. En raccrochant, son attitude change radicalement. Il dit à Mohammad que tout est en règle. Il peut aller prendre son avion.

Il récupère ses papiers et se positionne dans la longue file d'attente qui mène à la porte d'embarquement. Tout à coup, il voit réapparaître l'officier qui se dirige vers lui. Son sang se glace. Il s'arrête à son niveau et lui demande de le suivre. Mohammad hésite à obtempérer. L'autre l'attrape par le bras et le sort de la queue. Ils longent la file d'attente jusqu'à la porte d'embarquement. L'officier ordonne à son collègue qui effectue les contrôles à l'entrée de l'avion de s'occuper de lui en priorité. Le type ne vérifie ni son billet ni son passeport et le laisse passer. Une hôtesse l'accueille avec un grand sourire. Il s'installe sur le siège 24A, près du hublot, et ferme les yeux.

Nouvel avion. Nouvelle destination. Nouvel espoir. Nouvelle vie ?

Soudain, il entend les moteurs qui s'emballent et sent l'appareil qui se détache du sol.

Un mercredi comme les autres. Ma mère revient de Recloses, où elle a accompagné une de ses petites-filles à son cours hebdomadaire d'équitation. Elle remonte le boulevard de la Tour-Maubourg au volant de sa Smart. Il pleut des cordes. À la radio, un candidat de la droite républicaine déclare que, s'il est élu, il réduira le nombre de migrants légalisés, il faut « une immigration minimale et très contrôlée, répondant à nos besoins économiques et à nos capacités d'accueil et d'intégration ». Ma mère bascule sur une autre station.

Elle se gare sous les Invalides. En sortant sur l'esplanade, elle tombe sur quelques dizaines d'hommes debout sous la pluie. Ils brandissent des banderoles. « Équité pour tous », « Solidaires des interprètes en danger », « Un visa ou la mort ». Au moment où elle passe devant eux, son regard croise celui d'un des manifestants. Elle lui sourit. Il s'approche d'elle et lui tend un tract.

— Bonjour. Nous sommes afghans. Nous avons travaillé au côté des militaires français pendant plusieurs années, nous avons partagé les risques avec eux, ils étaient nos frères d'armes, mais aujourd'hui ils nous laissent tomber. Nous, nous avons la chance d'être arrivés jusqu'ici, mais une centaine de nos anciens collègues n'ont pas pu quitter le pays et sont en danger. Rien que cette semaine, deux d'entre eux ont été égorgés.

Elle reste muette, abritée sous son parapluie.

— Pour obtenir un visa, il faut avoir travaillé au moins cinq ans pour l'armée française, mais les Talibans, eux, ne comptent pas les années. Si vous pouviez signer notre pétition sur Internet, ça nous aiderait.

— Je le ferai. Promis.

— Merci, madame. Dieu vous garde.

Elle s'éloigne du petit groupe entouré par une quantité impressionnante de CRS.

Tout cela se passe dans l'indifférence générale à l'autre bout du monde. Pourtant les chaînes de télévision, les émissions de radio, les réseaux sociaux ne parlent que de ça depuis des mois : la crise des migrants. En ce moment, les Syriens sont à la une des médias. La guerre qui fait rage chez eux les pousse à s'exiler massivement. Ils se pressent aux portes de l'Europe, mais aucun gouvernement de l'Union n'accepte d'ouvrir ses frontières. On parle, on débat, on analyse, on s'interroge, on diffuse des images chocs... La photo d'un enfant mort sur une plage turque fait le tour des réseaux sociaux, elle est reprise dans toute la presse, l'émotion est à son comble, on se dit que ça va réveiller les consciences, provoquer un élan de solidarité massif, mais quelques jours plus tard, une autre image, sur un autre sujet, prend le relais et le problème des réfugiés retombe dans les oubliettes. En attendant, on continue à accueillir au compte-gouttes quelques miraculés et on laisse mourir les autres, en mer, sur les plages ou dans le froid.

Ma mère remonte l'avenue en essayant d'éviter les flaques. Elle cogite. Comment peut-elle agir ? Comment, à son petit niveau, réduire ce genre d'injustice ? Elle n'a pas assez de temps pour s'engager dans une association humanitaire, elle fait déjà de nombreux dons à des ONG en tous genres, elle vote pour ceux qui lui semblent le plus aptes à défendre cette idée de générosité entre les peuples qui lui tient à cœur, mais, visiblement, cela ne suffit pas. Que faire de plus ?

« Nous débutons notre descente sur Paris. Veuillez regagner votre siège et attacher votre ceinture. » L'annonce de l'hôtesse de l'air réveille Mohammad en sursaut. Il est sept heures du matin, heure locale. Par le hublot défilent des champs de blé, des carrés de verdure, des forêts dispersées, des villages à clochers et de minuscules voitures qui progressent, comme au ralenti, sur les routes de campagne. Tout est si calme, si paisible. Premiers immeubles, entrepôts, bretelles d'autoroutes, la ville approche. La tour Eiffel apparaît dans la brume. En bas, la liberté. Un nouveau pays à découvrir, une nouvelle page à écrire, pouvoir exister, ne plus fuir, ne plus avoir peur, ne plus être un paria, un clandestin, un sous-homme. Être respecté, enfin.

L'avion atterrit à l'aéroport de Roissy-Charles-de-Gaulle. Mohammad se retrouve rapidement à la douane. Il se place dans la file des ressortissants étrangers. La propreté de l'aérogare l'impressionne. Tout est flambant neuf et aseptisé. Même les douaniers ont l'air sympathique. C'est son tour. Il s'avance vers la guérite et présente ses papiers. Le visage de l'officier se ferme dès qu'il découvre son passeport afghan.

— Vous arrivez d'où ?

— Colombo.

— Vous êtes afghan. Si vous voulez entrer en France, vous devez demander un visa dans votre pays d'origine. Comment en avez-vous obtenu un au Sri Lanka ?

— C'est une longue histoire.

— Ok, les longues histoires, c'est mon collègue dans le bureau là-bas qui s'en occupe.

Les autres voyageurs le dévisagent. Il évite leurs regards.

Une heure à poireauter dans un bureau mal éclairé avant qu'un douanier ne s'occupe de lui. Marc, son ami cuisinier de l'armée française à Kaboul, a fait la route spécialement de Lorraine pour venir le chercher et doit être en train de l'attendre dehors.

— Pourquoi venez-vous en France ?

Mohammad a envie de hurler mais garde son calme.

— Je viens pour demander l'asile politique. Je ne suis pas un touriste.

Il sort tous ses documents de son sac à dos. Il étale sur la table les papiers des Nations unies, les preuves de sa collaboration avec l'armée française, la carte de visite de l'autre Marc. Le fonctionnaire récupère l'ensemble et disparaît. Des bruits de photocopieuse au bout du couloir, puis plus rien. Une nouvelle heure passe sans que personne se manifeste. Il appelle. En vain. Son ami dans le hall d'arrivée doit commencer à s'inquiéter. Les autres passagers sont sortis depuis longtemps. Il n'a aucun moyen de le prévenir. Le douanier finit par réapparaître.

— Qui connaissez-vous ici ?

— Un Français qui travaillait avec moi sur la base de Kaboul. Il est venu spécialement de Lorraine pour me chercher. Cela fait deux heures qu'il m'attend et il doit vraiment se demander où je suis. Si vous avez d'autres questions, posez-les-moi. J'ai un passeport, un visa en règle, je vous ai dit la vérité, que voulez-vous de plus ?

Le type le fixe sévèrement, feuillette rapidement les documents, comme s'il les découvrait pour la première fois, puis le laisse partir, sans excuse ni explication.

Retrouvailles avec Marc. Ils tombent dans les bras l'un de l'autre.

— Un passager m'a prévenu que tu avais été arrêté par les douaniers. J'ai essayé d'intervenir, mais je me suis fait refouler.

— Je suis désolé.

— Ne t'inquiète pas. Depuis le temps qu'on attend ce moment.

— J'ai réussi !

Ils s'étreignent de nouveau.

Direction Strasbourg. Mohammad n'en croit pas ses yeux. Il est à la fois épuisé, confus et fasciné par la modernité de ce TGV dans lequel ils voyagent. Les paysages défilent à une rapidité folle. Sa vie va-t-elle aussi se dérouler à grande vitesse à partir de maintenant ?

— Je vais au wagon-restaurant. Tu veux quelque chose ?

— Non merci.

— On va boire un coup pour fêter ça.

Marc achète deux canettes de bière au bar et revient s'installer en face de lui.

Ils trinquent.

— Tu es en sécurité maintenant.

Mohammad acquiesce d'un mouvement de la tête, boit quelques gorgées et s'endort. Il se réveille une heure plus tard en gare de Strasbourg.

La beauté de la ville l'impressionne. Marc propose une promenade avant de reprendre la route. Ils déambulent le long des canaux et dans les ruelles médiévales du quartier de la Petite France. Leur balade les mène jusqu'à la cathédrale. Mohammad n'arrive pas à détacher son regard de l'immense rosace composée d'épis de blé et de la multitude de sculptures qui ornent l'imposante façade.

— Tu as déjà mangé de la choucroute ?

— C'est quoi ?

— Un plat alsacien à base de chou fermenté, de pommes de terre et de saucisses.

— Je ne peux rien avaler. J'ai une boule dans le ventre.

— Allez, il faut te nourrir.

Ils entrent dans une des maisons à colombages de la place. Grisé par la chaleur de la brasserie, la nourriture abondante et la bière qui coule à flots, Mohammad se sent bien, pour la première fois depuis une éternité.

Pendant le long trajet en voiture qui les mène à Sarrebourg, il observe la campagne qui longe l'autoroute. L'ivresse et la fatigue l'empêchent de se concentrer sur ces images si dépaysantes. Il est pris de vertige, ferme les yeux et colle son front contre la portière. La fraîcheur de la vitre le soulage. Marc s'arrête dans une station essence et lui offre un café. Mohammad est frappé par l'abondance de boissons, de sucreries, de sandwichs, de glaces, de biscuits et de journaux en libre-service.

Le lendemain matin, Marc lui annonce qu'il doit partir dans deux jours pour une mission avec un détachement de l'armée française au Maghreb.

— On s'occupera de tes papiers à mon retour, dans un mois.

Ils passent les vingt-quatre heures suivantes à sillonner la petite commune de Moselle entourée de forêts et d'étangs. Son hôte lui montre les commerces, lui explique le fonctionnement de son appartement, petit mais agréable, lui laisse 200 euros puis s'envole pour l'Algérie. Mohammad se retrouve seul.

Il va faire ses courses deux fois par semaine au Carrefour du village. Il s'exprime comme il peut avec les quelques mots de français qu'il a appris au contact des militaires. Les personnes qu'il rencontre ne font pas beaucoup d'efforts pour le comprendre et le regardent souvent de travers. Il se fait même rabrouer par un boulanger impatient qui le chasse de sa boutique. Cette animosité l'affecte. En attendant le retour de son ami, il quitte l'appartement le moins possible, dort beaucoup et regarde des films. Surtout des documentaires.

Mohammad et moi avons tous les deux quitté notre pays et vivons en terre étrangère. J'avais envie de changer d'air, lui sauvait sa peau. Il n'avait pas d'autre option, moi si. J'ai pu choisir mon pays d'adoption, lui non. Il n'avait pas d'argent, moi si. Je me suis tout de suite senti chez moi, lui non.

Toute la différence tient en un mot : *Welcome*.

Si on ne se sent pas bienvenu, on ne peut s'intégrer. Difficile de trouver la force de se reconstruire dans un pays hostile. Cette notion d'accueil est au centre de la réussite de l'intégration. La présidence de Trump qui s'ouvre dans quelques jours envoie un signal funeste au reste du monde. Les États-Unis, terre d'immigration historique, vont se refermer sur eux-mêmes.

Souvenir de mon dernier retour à New York.

J'arrive à la douane. Une seule crainte : avoir à faire la queue trop longtemps.

L'officier de l'immigration me demande froidement :

— Quel est le but de votre voyage ?

— Je vis ici.

— Quel est votre métier ?

— Je suis réalisateur de films.

— Moi, je suis acteur.

Il laisse échapper un sourire et ajoute :

— Vous n'auriez pas un rôle pour moi dans votre prochain film ?

Malgré l'incongruité de la situation, je réponds « si bien sûr » du tac au tac afin d'éviter la fouille de ma valise remplie de saucisson, de pâté et de fromage. Il note son adresse e-mail au verso de la feuille de déclaration de douane et me la tend en me gratifiant d'un chaleureux *Welcome home !*

Un mois plus tard, Marc rentre enfin. Il l'aide à remplir le formulaire de demande d'asile politique et l'accompagne à Metz pour déposer son dossier à la préfecture. Après quatre heures d'attente, Mohammad est reçu par une femme d'une cinquantaine d'années au visage austère.

— Vous avez un visa, c'est déjà une bonne chose.

— Oui, j'ai travaillé comme interprète pour l'armée française.

— Bravo, vous êtes un jeune homme courageux.

Elle lui remet un récépissé expliquant qu'il va bientôt être convoqué par l'Office français de protection des réfugiés et apatrides, l'OFPRA, pour un entretien. En attendant, ce document lui servira de titre de séjour. Il est valable pour une durée de quatre-vingt-dix jours, renouvelable tant qu'il n'a pas reçu de réponse.

C'est le début d'une nouvelle épreuve. Les autorités mettent des mois à le recevoir, se trompent d'adresse lorsqu'ils lui envoient la convocation, l'obligeant à renouveler à plusieurs reprises son récépissé. Il doit chaque fois affronter des files d'attente interminables et des fonctionnaires racistes qui l'humilient régulièrement. Que ce soit en Iran, en Afghanistan, au Sri Lanka ou ici, en France, est-il éternellement condamné à être traité comme un sous-homme ?

Le 4 avril 2015, il est convoqué à la préfecture. Le courrier stipule que cela concerne son titre de séjour mais ne précise pas si sa demande a été acceptée ou refusée. Il a entendu parler d'autres réfugiés qui se sont fait arrêter alors qu'ils se présentaient à ce genre de convocation. Il demande à Marc de l'accompagner au cas où cela tournerait mal.

Il prend un ticket et va s'asseoir dans la salle d'attente. Il regarde autour de lui. Sur les dizaines d'hommes, de femmes et d'enfants qui l'entourent, combien pourront rester ici et combien devront repartir dans un pays qu'ils ont fui, souvent au péril de leur vie ? Marc, qui se tient à ses côtés, le rassure. Avec le dossier qu'il a, il devrait obtenir ses papiers sans problème. C'est ce que lui avait promis les militaires à Kaboul, c'est ce que lui avait affirmé le personnel des Nations unies à Colombo… Pourquoi serait-ce différent cette fois-ci ?

Numéro 058 — Guichet 12. Mohammad se lève et va se présenter au fonctionnaire qui lui fait signe de s'asseoir. Il décline son identité. L'homme disparaît dans un bureau puis revient avec une enveloppe qu'il glisse en direction de Mohammad.

— Votre carte de séjour et votre titre de voyage. Ce dernier vous permet de voyager librement en dehors du territoire. Ces documents sont valables pour une durée de dix ans.

Pour la première fois depuis son départ de Kaboul, il a la certitude qu'il ne sera pas renvoyé de force dans son pays. Il n'aura plus à se cacher, n'aura plus peur dès qu'il croisera un policier, pourra voyager. Énorme soulagement.

Mais Mohammad s'ennuie à Sarrebourg. Il est désœuvré depuis que Marc est reparti en mission au Moyen-Orient. Il n'a pas d'amis et ne parle pas français. Il veut aller à Paris, faire des études, reprendre la musique, donner un sens à sa vie.

Safi, un ancien interprète de l'armée française, est la seule personne qu'il connaît dans la capitale. Ce dernier le met en garde. La vie dans la grande métropole est très dure, très chère aussi.

— Tu es sûr de ton choix ?

— Certain.

Fin décembre, il prend le train pour la gare de l'Est. Découverte de Paris. Il est frappé par les couleurs, le luxe et l'abondance des décorations de Noël. Il y a un monde fou dans les rues, une diversité nouvelle pour lui. Son cœur bat la chamade. Cette ville est à sa mesure.

Safi vit dans un foyer du quinzième arrondissement. Il propose à Mohammad de dormir au pied de son lit sur une couverture. Lui est en France depuis huit mois mais n'a toujours pas obtenu son statut de réfugié. Si sa demande est refusée, il deviendra clandestin et donc expulsable, sachant qu'un retour à Kaboul équivaut à la peine de mort. N'y a-t-il aucune concertation entre l'État français et son armée ? Ce sont pourtant les militaires qui les premiers les ont mis en garde contre les dangers qu'ils encouraient. Ici, tout le monde semble avoir oublié les services qu'ils ont rendus à la France. On les traite comme des parias. Le seul souci de l'administration semble être de ne pas accorder de visas à des réfugiés qui mentiraient sur leur condition. Une personne qui a abandonné son pays, sa famille, ses amis, qui a tout perdu, ne devrait-elle pas être considérée comme une victime plutôt que comme un voleur ?

Mohammad passe ses journées à errer dans la ville en quête d'un logement. Après quelques semaines de prospection, il s'oriente sur la banlieue, les centres d'accueil intra-muros étant tous surchargés. Il emprunte le RER quotidiennement pour mener ses recherches. Sans succès. Le soir, épuisé, il rejoint Safi dans sa petite chambre surchauffée. Les deux copains de fortune discutent jusque tard dans la nuit en buvant de la bière tiède.

Un matin, le directeur du centre le chasse sans raison apparente, invoquant des problèmes de sécurité, et menace de renvoyer aussi Safi s'il ne s'exécute pas sur-le-champ.

Mohammad se retrouve à la rue. Il dort à droite, à gauche. Au milieu d'un parc, sous un pont, au coin d'une rue ou dans une station de métro. Il se fait expulser plusieurs fois par des vigiles de la RATP. Comme il est propre et courtois, ça se passe en douceur. Au bout de quelque temps, il se trouve une planque. Un recoin à l'entrée d'un tunnel. C'est bruyant mais discret et à l'abri des intempéries.

Dans la rue, les passants le toisent ou l'insultent parfois sans raison. Un jour, alors qu'il est assoupi sur un banc, il reçoit un coup de pied, tombe par terre et se réveille en sursaut. Il voit deux jeunes s'éloigner en riant.

Mohammad sent peu à peu ses forces et son courage l'abandonner. Il rêve d'un endroit où poser son sac et de pouvoir enfin réfléchir à l'avenir.

Nous jetons nos mégots de cigare simultanément dans la plate-bande qui longe la maison et rangeons les chaises de jardin à l'abri sous le hangar.

Nous n'avons jamais passé autant de temps ensemble. Avant de me lancer dans ce projet, je ne croisais Mohammad que lors de mes passages à Paris. C'était toujours rapide, nous échangions quelques mots, rien de très personnel. Je n'avais jamais pris la peine de m'intéresser à lui, mettant sa présence sur le compte d'une nouvelle lubie de ma mère. Elle n'avait pas cru bon de me consulter au moment de prendre la décision de l'accueillir, je ne me sentais donc pas vraiment concerné. Et puis Mohammad ne serait probablement plus là à ma prochaine visite, alors pourquoi m'attacher.

Je fais le tour de la maison, étale les braises dans la cheminée, place la grille de protection devant le foyer, ramasse la bouteille, les verres et éteins la lumière du salon.

Je m'attaque à la vaisselle. Mohammad me rejoint dans la cuisine, s'assied sur le rebord de la fenêtre, se sert un dernier verre de vin et reprend son récit.

Méthodiquement, il continue de visiter les foyers de la région parisienne. Un matin, il prend le RER D, direction Melun. On lui a parlé d'un centre pour adolescents handicapés mentaux et anciens toxicomanes qui pourrait éventuellement l'accueillir. Cette optique l'effraie un peu mais il faut impérativement qu'il trouve un toit avant l'hiver. Une heure de trajet plus tard, il arrive à destination.

Le directeur des lieux l'interroge sur son passé, le scrute des pieds à la tête puis lui annonce qu'il a une place pour lui. Il tend le règlement de l'établissement à Mohammad :

- *Interdit de rentrer après 19 heures.*
- *Interdit de sortir le week-end sauf dérogation.*
- *Pour toute activité hors du centre, obligation d'écrire une lettre de demande au directeur qui a la possibilité d'accepter ou de refuser sans explication.*
- *Obligation de prévenir à l'avance si on mange au foyer (si on change d'avis, on n'est pas nourri).*
- *Lever à 6 h 30.*
- *Couvre-feu à 21 heures.*
- *Douche un jour sur deux.*
- *À la moindre entrave au règlement, c'est l'expulsion.*

Un éducateur l'accompagne à sa chambre. C'est une pièce froide et impersonnelle équipée d'un lit superposé qu'il partage avec Alex, un grand type maigre de vingt-quatre ans, taciturne et bipolaire.

Mohammad se retrouve logé à la même enseigne que les délinquants et handicapés du foyer. On lui parle comme à un enfant, on le traite comme un malade. La nourriture du réfectoire est préparée avec des produits périmés des supermarchés des environs. Il n'est pas rare qu'il découvre des mouches ou des asticots dans son assiette. Il n'ose pas se plaindre de peur de se retrouver de nouveau à la rue.

Les employés de ce centre sont manipulateurs, sadiques et maltraitent souvent ceux qu'ils prétendent soigner. Le pire étant le directeur. Un vrai pervers. Il prend Mohammad en grippe dès son arrivée et ne lui laisse aucun répit. Il passe son temps à lui donner des ordres en français tout en sachant qu'il ne le comprend pas. Mohammad s'applique à rester poli. À chaque demande, même la plus tordue, il répond :

— Avec plaisir.

— Je ne te parle pas de plaisir, je te demande de faire ce que je te dis, c'est tout !

Malgré ses efforts, il lui refuse systématiquement le droit de sortir le week-end et l'oblige à nettoyer les parties communes du foyer alors que les autres pensionnaires ont rejoint leurs familles.

Un samedi soir, alors qu'il se retrouve seul avec le directeur, ce dernier lui demande de lui parler de ses projets. Mohammad hésite puis décide de se confier. Il lui raconte sa passion pour le rap, pour la musique en général, et avoue qu'il espère pouvoir s'y remettre bientôt.

— J'aimerais aussi faire des études. Dès que je maîtriserai mieux la langue française, je compte m'inscrire à l'université.

Le directeur éclate de rire.

— T'es un vrai cinglé, toi! Qu'est-ce que tu imagines? Ça ne marche pas comme ça ici. Tu es en France, plus au bled. Regarde-moi, ça fait trente ans que je travaille dans ce trou, et j'ai mis tout ce temps pour avoir ma voiture, ma maison et mes vacances au soleil. Et toi tu crois que tu vas y arriver comme ça, en claquant des doigts. T'es complètement à la masse, mon pauvre gars.

Il disparaît dans son bureau.

Mohammad est sonné. Des larmes coulent sur ses joues. Il est partagé entre la honte et la rage. Il a envie de défoncer sa porte et de lui enfoncer un stylo dans le cou. Mais il garde son calme. Il sait qu'au moindre faux pas avec la justice il peut se retrouver dans un charter pour Kaboul.

Les pensionnaires sont plutôt gentils, mais il évite de trop les fréquenter. Ils n'ont aucune volonté, aucun but, aucune passion. Il sent qu'ils déteignent sur lui. Son équilibre mental est fragile et il ne peut se permettre d'être à leur contact trop longtemps.

En plus du logement, le centre est censé leur fournir une formation. Lui aimerait apprendre le français, c'est un handicap énorme de ne pas bien le parler, mais il n'y a plus de place dans les classes de langues. Le seul cours

disponible s'intitule : « Optimiser son curriculum vitae ».
Mohammad se retrouve seul dans une salle face à un
ordinateur, une feuille de papier et un crayon. Il n'a
aucune idée de ce qu'il doit faire. Il pense qu'un instructeur va le rejoindre. Au bout d'une demi-heure, toujours
personne. Il s'aventure dans le couloir et tombe sur le
directeur qui lui ordonne de retourner immédiatement
dans la classe sans plus d'explications. Il obtempère, s'installe devant son écran et commence à surfer sur Internet.
Il repère plusieurs stages linguistiques en région parisienne. Seulement, il est bloqué à Melun. À l'exception
d'une pause déjeuner au réfectoire, il n'a pas le droit de
sortir de cette salle avant 17 heures. Trop tard pour
prendre le train pour Paris, les portes du centre ferment à
19 heures. Il sait que, s'il ne respecte pas ces horaires, il
sera renvoyé.

Comment trouver du travail sans parler français ?
Comment parler français sans sortir de ce foyer ? Comment
sortir de ce foyer sans avoir de logement ? Comment avoir
un logement sans gagner d'argent ? Comment gagner de
l'argent sans trouver de travail ?

Il faut qu'il parvienne à s'échapper de cet endroit. Il
multiplie les appels aux associations spécialisées dans
l'aide aux réfugiés. Ses interlocuteurs sont compréhensifs,
attentifs, mais ils n'ont aucune solution concrète à lui
proposer. Au mieux, ils lui offrent des stages de théâtre
ou de poterie.

Il sollicite un rendez-vous chez le directeur qui le
reçoit dans son bureau quelques jours plus tard.

— Si vous ne pouvez pas m'aider, laissez-moi au moins la possibilité de trouver une solution de mon côté. J'ai besoin d'être libre d'entrer et de sortir du centre. Je dois aller à Paris pour suivre des cours de français. Autorisez-moi à être en retard de temps en temps.

— Il y a un règlement. Si je commence à faire une exception pour toi, pourquoi pas pour les autres ?

— C'est absurde. On n'a pas tous les mêmes besoins.

— Si tu n'es pas content, tu n'as qu'à partir. Trouve-toi un boulot et loue une chambre. Pour l'instant, tant que tu es ici, c'est moi qui dicte les règles.

— Vous ne comprenez pas que je n'ai rien à voir avec les autres pensionnaires. Je n'ai pas de handicap mental, je n'ai pas d'addiction, je n'ai rien fait d'illégal. Je suis un réfugié, j'ai quitté mon pays car je n'avais pas le choix, c'était une question de vie ou de mort... J'avais tout pour être heureux là-bas. J'avais un bon travail, de la famille, des amis. Alors arrêtez de me parler comme à un moins que rien. Vous m'insultez en me traitant comme ça.

Il sort en claquant la porte.

Mohammad vient d'avoir vingt ans et désespère. Cela fait trois mois qu'il est dans ce foyer et l'horizon s'assombrit de jour en jour.

Jusque-là, il n'a jamais renoncé à ses rêves, continuant à croire qu'il pourrait faire des études, peut-être même fonder une famille. Mais pour la première fois, il se dit que ce ne sont que des chimères, qu'il n'y arrivera jamais. Il est condamné à passer le reste de sa vie de foyer en foyer, à être à la merci de gens médiocres, racistes et égoïstes, à dépendre de la charité de quelques bonnes âmes, à errer sans but, sans joie et sans espoir. À survivre.

Je finis de rincer les verres, éteins les lumières, verrouille la porte et cache la clef. Nous reprenons la route pour Paris.

En montant dans la voiture, je repense à cette journée que nous venons de passer ensemble. Quand nous sommes entrés dans cette maison ce matin, je ne connaissais rien de Mohammad. Quelques heures, bières, cocktails et cigares plus tard, j'en sais plus que la plupart de ceux qu'il a croisés dans sa vie. Je me rends compte que c'est la première fois que quelqu'un se confie à moi de la sorte. Une telle quantité d'informations en si peu de temps est vertigineuse. On passe la plupart de notre existence entouré de personnes dont on connaît presque tout. C'est rassurant. Ça peut aussi devenir ennuyeux. Je me rappelle, il y a quelques années, avoir ressenti une certaine lassitude. J'étais entouré de gens que j'aimais profondément, heureux à l'idée de les retrouver régulièrement, mais nous nous répétions. Nous abordions souvent les mêmes sujets, avec les mêmes personnes. C'est une des raisons pour lesquelles j'ai décidé de partir m'installer de l'autre côté de l'Atlantique. Devoir me faire de nouveaux amis me plaisait, découvrir de nouvelles vies, de nouveaux destins… Lorsque nous sommes arrivés à Brooklyn, nous avons pris notre temps. Les enfants avaient besoin de nous pour effectuer le grand saut et, après presque vingt ans de vie commune, nous étions heureux avec Éléonore de nous retrouver en tête-à-tête. Nous sommes repartis doucement à la rencontre de nouvelles personnes et avons découvert une multitude d'histoires insolites. C'est un des aspects les plus excitants de la vie à l'étranger. Aujourd'hui, quand je rentre à Paris, je ressens un plaisir intense à retrouver ma famille et mes amis. On se voit moins mais c'est plus fort.

Nuit noire. Nous roulons à vive allure sur l'autoroute.
— Tu aurais fait quoi à ma place ?
— Moi ?
— Si tu étais un réfugié afghan.
— Je ne peux pas répondre à cette question. Je suis un homme de quarante-sept ans, né en France dans une famille sans problème, n'ayant jamais eu faim ou à me battre pour ma survie et ma liberté. Je n'ai jamais été seul. Ça n'aurait aucun sens que je prétende pouvoir me mettre à ta place. Tous mes réflexes, mon instinct, mes raisonnements sont fondés sur une vie trop différente de la tienne.

Le ronronnement du moteur emplit l'habitacle. Nous regardons droit devant nous le macadam qui défile sous la lumière des phares.

Ce soir, ma mère écoute la radio en feuilletant négligemment un magazine dont la couverture promet en lettres grasses « Les 100 secrets des filles les plus stylées du monde ». Claire Rodier, une juriste spécialisée dans le soutien aux immigrés, est interviewée.

« Les peuples occidentaux se replient sur eux-mêmes. On fait la guerre à des hommes et des femmes qui sont en train de mourir de faim. Comme s'il était condamnable de chercher dans un autre pays que dans le sien des opportunités de vie meilleure, voire de subsistance ou de survie. »

Elle précise que la totalité des réfugiés installés dans les vingt-huit pays membres de l'Union européenne est équivalente au nombre de personnes que le Pakistan accueille sur son sol à lui tout seul. Au Liban, il y a un million de demandeurs d'asile syriens pour quatre millions d'habitants. C'est le nombre total de réfugiés en Europe pour cinq cents millions d'habitants. Cela représente 1/500e de la population. Une goutte d'eau dans l'océan. Dernièrement, le président de la Commission européenne a décidé de mettre les États membres devant leurs responsabilités. Chacun devait accueillir un certain quota des 2 millions de réfugiés que compte la Turquie, sachant que des milliers d'autres arrivent chaque jour. Les États se sont mis à marchander lamentablement pour essayer d'en recueillir le moins possible. Prétextant des problèmes économiques, une quantité d'immigrés déjà trop importante, la réticence des populations locales... Au bout du compte, après deux mois d'âpres négociations, ils se sont entendus sur le nombre dérisoire de soixante mille réfugiés pour toute l'Europe.

Ma mère pose son journal.

Un jeune homme prend la parole. Il représente une association d'aide aux migrants.

« *Notre association est née en 2012, de l'expérience de deux personnes : Nathanaël, assistant juridique pour les demandeurs d'asile et les réfugiés au Maroc, et moi en Australie. Nous étions ensemble à l'Institut d'études des relations internationales. La moitié des étudiants de notre master est partie vendre des armes, l'autre moitié s'est dirigée vers la diplomatie et les ONG. Nous, nous ne nous retrouvions ni dans l'un ni dans l'autre. Du coup, nous avons créé notre propre structure. En tant que juristes, nous avions vécu tous les deux la même expérience à 17 000 kilomètres de distance. Les migrants venaient dans nos bureaux en nous disant : "J'ai envie de continuer ma carrière d'ébéniste", "J'ai envie de monter mon entreprise", "J'ai envie de me faire des amis", et la seule réponse que nous pouvions leur donner était de leur promettre un rapport sur la situation des droits de l'homme dans leur pays. Nous avions le sentiment de n'avoir aucune utilité, un impact zéro sur leurs vies. Nous avons croisé des personnes* avec des parcours extraordinaires, mais on ne pouvait rien faire pour eux concrètement. Par exemple, il y avait ce Syrien qui était "nez" dans une parfumerie d'Alep, un type au talent exceptionnel, mais il n'avait aucune connexion pour pouvoir exercer son métier et a dû se reconvertir dans le bâtiment. Nous vivions ce genre de situation quotidiennement. Nous nous sommes dit que l'opinion publique devait prendre conscience de ça. Qu'il fallait qu'on arrête de considérer les migrants comme des profiteurs. Nous nous sommes rendu compte que le plus important pour ces hommes et ces femmes était de pouvoir rencontrer du monde, de créer du lien. Donc, on s'est mis à organiser des événements pour les mettre en contact avec des personnes de tous horizons, pour qu'ils dansent ensemble, jouent au foot ensemble, fassent un pique-nique ensemble, sans que les uns soient là pour offrir et les autres pour recevoir, pas de bénéficiaires, pas de bénévoles. Il ne s'agissait pas de solidarité envers les réfugiés, mais de moments de partage, dans les deux sens, horizontalement et non verticalement. On est allés chercher des participants un peu partout, dans des centres d'hébergement, dans la rue, parmi nos potes... Ça a été magique. Pour la première fois, ils avaient le sentiment d'être eux-mêmes, et de ne plus porter une étiquette. Les langues se sont déliées, ils nous ont parlé de leurs aspirations : l'un voulait monter son foodtruck, l'autre rêvait de travailler dans la mode, un troisième avait un diplôme d'ingénieur... Nous avons fait marcher nos connexions, nous nous sommes activés sur les réseaux sociaux, et c'est comme cela qu'on a créé les premiers binômes d'entraide. C'était incroyablement bordélique au début, mais on sentait que ça pouvait régler plein de *situations. Très vite, il est apparu qu'un des enjeux princi-paux était de trouver un logement pour tous ceux qui vivaient dans la rue. On a eu l'idée de mettre en contact des migrants avec des personnes qui auraient la possibilité de les accueillir chez eux. On a vite été débordés. En quelques mois, on a reçu plus de 10 000 propositions d'hébergement, partout en France. De Dunkerque à Bastia en passant par Brest, Strasbourg, de tous horizons sociaux, des policiers, des étudiants, des entrepreneurs, qui étaient prêts à partager des bateaux, des châteaux, des granges…*

— Est-ce que vous pensez que si on peut aider, on doit aider ? Beaucoup peuvent mais ne font rien.

— Nous essayons au maximum de ne pas culpabiliser nos interlocuteurs, mais c'est vrai que si chaque individu qui en a les moyens s'engage, cela changera en profondeur la situation catastrophique dans laquelle nous nous trou-vons aujourd'hui. »

« Si on peut, on doit. » Cette phrase provoque un élec-trochoc chez ma mère. Elle se dit qu'elle ne peut plus ne rien faire. Elle a la chance d'avoir une grande maison et la possibilité d'accueillir quelqu'un chez elle.

Elle attrape un morceau de papier sur sa table de nuit et note le nom de l'association : Singa.

Le lendemain matin, elle se branche sur Internet pour en savoir plus. Le site de l'association est bien présenté, très clair, et inspire confiance. Elle clique sur la case « Je souhaite accueillir quelqu'un chez moi ». Apparaît sur l'écran un questionnaire. Elle se lance.

Sexe, nom, prénom, date et lieu de naissance, coordonnées. Et puis :

- *Situation* > Mariée en 1968 – Veuve depuis 2010
- *Enfants* > 3 fils (47, 45 et 42 ans) – 7 petits-enfants
- *Langues parlées* > français, anglais, espagnol
- *Domaine d'activité* > La mode
- *Situation professionnelle* > Ai créé avec mon mari deux affaires que j'ai revendues aujourd'hui. Nouveaux projets en cours
- *Seriez-vous prêt à partager vos compétences professionnelles avec la personne accueillie ?* > Oui
- *Seriez-vous prêt à mettre à profit votre réseau pour faciliter l'insertion professionnelle de la personne accueillie ?* > Oui
- *Centres d'intérêt* > Arts plastiques, cinéma, littérature, cuisine
- *Parlez-nous de vous* > J'aime la vie, les gens, faire, partager. Je suis gourmande, artiste, étourdie mais très responsable. J'aime aimer, je suis fascinée par la beauté, déteste le conflit, ne peux imaginer le cœur sans l'intelligence, le sérieux sans l'humour et la joie de vivre sans courage. Je suis créative et continue à travailler. Je sors souvent, voyage et suis entourée par une grande famille
- *Quelles sont vos motivations pour accueillir et qu'attendez-vous de cette expérience ?* > Comment avoir tant de chance, être si heureux et tolérer tant de misère ? Merci Singa de nous donner l'occasion d'être un peu moins égoïste et de nous offrir le bonheur de voir revivre la vie assassinée

- *À partir de quelle date pouvez-vous accueillir ?* > Tout de suite
- *Pendant combien de temps ?* > Un an (pour commencer)
- *Combien de personnes pouvez-vous accueillir ?* > Une personne (pour commencer)

Elle clique sur le bouton « Inscription » et reçoit dans la foulée un mail de confirmation de son engagement. Elle appelle le numéro inscrit sur le document pour obtenir des précisions sur les délais de réponse. La personne sur qui elle tombe l'accueille d'un « Ouah, t'es super ! ». De toute évidence, elle a affaire à des jeunes, ce qu'elle trouve à la fois sympathique et un peu inquiétant. Où a-t-elle mis les pieds ? Elle est partagée entre la satisfaction d'être passée à l'acte et le doute de s'être engagée dans quelque chose qui risque de la dépasser. Elle se demande si elle n'est pas complètement folle. A-t-elle vraiment envie d'avoir un inconnu dans sa maison ?

Les jours, les semaines, deux mois passent. Toujours pas de nouvelles. Elle se surprend à être soulagée.

Aux informations, des hommes, des femmes et des enfants qui traversent une gare allemande sous les applaudissements de quelques dizaines de personnes venues les accueillir. Sous-titre : « Des Munichois viennent saluer des migrants. L'Allemagne prévoit 10 000 arrivants ce dimanche. » Une réfugiée : *« Je me sens bien. J'ai l'impression que je peux enfin respirer. »* Mohammad est assis, seul devant la vieille télévision fixée sur un des murs gris de la salle commune du foyer. Il est hypnotisé. Il se dit que l'image de détresse qui circule en permanence dans les médias accentue l'impression de sous-humanité. C'est humiliant pour ceux qui se voient comme des hommes d'exception ayant survécu à des choses terribles. Cela nie le courage et la force qu'il leur a fallu pour affronter tous ces obstacles. Angela Merkel, la chancelière allemande, apparaît à l'écran et explique qu'elle a décidé d'ouvrir les frontières de son pays à des centaines de milliers de réfugiés. *« Je ferai tout ce qui est en mon pouvoir pour que ceux qui ont besoin de protection reçoivent cette protection. On doit accueillir amicalement les personnes qui, pour la plupart d'entre elles, sont en situation d'urgence. Les clôtures ne servent à rien. C'est vain. Il est important de traiter chaque être humain comme un être humain. »*

Malheureusement, devant le tollé provoqué par sa décision dans le reste de l'Europe et le refus des autres États de l'Union de suivre son exemple, elle devra rapidement faire machine arrière.

À force de recherches sur Internet, Mohammad finit par tomber sur le site de Singa. Il découvre le programme intitulé Calm (Comme à la maison), qui propose de trouver, pour les réfugiés, des logements « chez l'habitant ». Il entre en contact avec l'association et explique qu'il serait prêt à aller n'importe où plutôt que de rester dans ce foyer sordide. Cet endroit le rend malade. Depuis quelques jours, il a un mal de crâne terrible. Une migraine de plus en plus persistante. Comme si on lui enfonçait une pointe à l'arrière de la tête.

Il décide de sécher la formation et de se rendre à Paris pour rencontrer les responsables de l'association. Il prend le RER puis le métro jusqu'à la station Faidherbe-Chaligny. En remontant la rue de Montreuil, il croise un homme qui lui sourit. Cela fait longtemps que cela ne lui était pas arrivé. Un signe ? Une fois dans les bureaux, il est reçu par Sarah, une bénévole à peine plus âgée que lui. Elle l'interroge, veut savoir ce qu'il faisait en Afghanistan, quels sont ses centres d'intérêt, quels sont ses rêves, ses envies… Une éternité que Mohammad ne s'est pas posé ce genre de questions, il a du mal à répondre de manière fluide. Il craint que ses hésitations ne soient interprétées comme un manque de motivation. Il tente de se rattraper en racontant son périple de Kaboul à Paris, en passant par Colombo.

— Vous voyez, je suis motivé !

Son interlocutrice le rassure, elle n'est pas là pour le juger. Elle cherche simplement à obtenir le maximum d'informations sur lui pour pouvoir le « jumeler » avec la bonne personne. Elle a bon espoir. Il est beaucoup plus facile pour un homme seul, jeune, et qui parle un peu français de trouver un logement que pour une famille entière qui vient de débarquer. Elle lui promet de le rappeler dès qu'elle aura une proposition.

De retour au foyer, le directeur le menace d'expulsion. Mohammad fait le dos rond et continue à passer ses journées seul devant son ordinateur, à subir les sarcasmes et les humiliations en attendant l'appel salvateur.

J'ai voulu en savoir plus.

Lors d'un de mes passages à Paris, j'ai pris rendez-vous avec un des deux fondateurs de l'association Singa.

Au fond d'une cour, un local entouré de verrières dans lequel sont installés une dizaine de bureaux. Mélange d'hommes et de femmes de tous âges, de bénévoles et de migrants venus demander des informations, ou simplement chercher un peu de réconfort. Guillaume, la trentaine, me reçoit dans la salle commune, lieu où l'on se retrouve pour boire un café, grignoter un biscuit ou lire le journal.

Il me présente Hamze, un homme un peu plus âgé, de type perse, qui me salue, se sert un verre d'eau et retourne s'asseoir devant son ordinateur. Guillaume m'explique que ce dernier est originaire d'Iran et fait partie de l'aventure depuis la création de l'association. Dès le premier jour, ils ont décidé, avec leurs collaborateurs, de réaliser un graphisme résumant les hauts et les bas de l'existence de chacun pour mieux comprendre leurs parcours. Une impressionnante chute apparaissait au milieu de celui de Hamze. Il leur a raconté son histoire : homme politique à

Téhéran, il avait petit à petit monté les échelons jusqu'à devenir conseiller du Premier ministre. Puis il y a eu des élections, un changement de régime, et il a été jeté en prison. À partir de ce moment-là, sa ligne de vie arrête de progresser. Quand il est sorti de prison, il s'est dit qu'il était temps de quitter son pays. Il s'est envolé pour la France. Et c'est là que la courbe s'effondre. À son arrivée à Paris. Comment l'hospitalité française pouvait-elle être pire que la vie dans une prison iranienne ? « Là-bas, j'avais ma dignité. J'avais exprimé mes idées et avais été enfermé pour cette raison. Au moins, dans le conflit, tu as une relation humaine avec ceux que tu combats. En France, je n'étais plus rien, plus personne, je faisais face à une indifférence totale. Il n'y a rien de pire. »

Guillaume ouvre son ordinateur portable, se connecte sur la page d'accueil de l'association et m'en expose dans le détail le fonctionnement. Leur action se divise en trois parties : une mission d'information, d'un côté destinée aux réfugiés, à qui ils expliquent les codes de la société française (pourquoi on se fait la bise, pourquoi on se serre la main…), de l'autre aux citoyens français qui reçoivent à longueur d'année des informations tronquées, restreintes et négatives en regardant la télévision, et qui ont l'impression que les migrants sont une masse homogène qui débarque chez eux pour profiter du système. Pour casser ces préjugés, ils font passer le message que ces personnes qui attendent devant la préfecture ne sont pas seulement en demande. Elles ont un passé, un présent et un futur. Chacune a une histoire particulière. Contrairement à la plupart des médias qui parlent de terrorisme potentiel, de pauvreté et de précarité, il faut essayer d'imaginer l'avenir de ces individus, un avenir positif. L'association insiste sur le fait qu'un réfugié n'est pas qu'un réfugié, c'est un ébéniste, un cuisinier, un scientifique, un agriculteur, un sportif…

Guillaume ouvre une nouvelle page, sur laquelle apparaissent des photos de personnes originaires du monde entier.

Leur deuxième mission est de connecter ces nouveaux arrivants avec des personnes sur place qui partagent les mêmes passions. Des amoureux de football, si possible supporters de la même équipe, des cinéphiles, des fans d'escalade, des ingénieurs qui vont pouvoir se donner des tuyaux ou, encore plus précieux, des contacts.

— Ces mises en relation, ces binômes, ont débouché sur des créations d'entreprises, des groupes de musique, des couples… J'ai rencontré par exemple un type d'une vingtaine d'années qui m'a avoué qu'avant de débarquer du Pakistan il n'avait jamais parlé à une fille en dehors de sa propre famille. Quand tu arrives dans une association française, 90 % des salariés sont de sexe féminin. Il n'arrivait à avoir aucune information, car il se disait qu'il n'avait pas le droit de parler à ces femmes. Notre rôle à nous est d'identifier ce type de difficulté et de faciliter le lien.

Il rabat le clapet de son ordinateur et se tourne vers moi.

— Plus ça va, plus on est dans un système administratif, juridique, concentré sur l'humanitaire et le sécuritaire. Il faut remettre en cause ce paradigme. Il faut remplacer le discours qui consiste à dire : « Les réfugiés, ce groupe homogène, qui fait ci ou ça… », par : « J'ai rencontré

Ahmed, il a un projet et je vais essayer de l'accompagner... ». Plutôt que de dire qu'on doit accueillir toute la misère du monde, ce qui est décourageant et contre-productif, on présente des individus et une action à dimension humaine. On a plusieurs nouveaux projets. On a décidé de développer un jeu vidéo. 35 millions de Français jouent aux jeux vidéo. Au lieu de faire des conférences sur l'asile politique où tu as au mieux cent clampins, on essaie de toucher le plus grand nombre. Et pour optimiser notre programme Calm, notre troisième champ d'action, qui consiste à mettre en relation des réfugiés et des personnes susceptibles de les accueillir, nous sommes en train de développer un site de rencontre. Une sorte de Meetic pour migrants. Car le problème aujourd'hui est que nous ne sommes présents que dans quatre villes en France alors que les réfugiés et les logeurs potentiels sont dispersés à travers tout le pays.

Ce type d'à peine trente ans me fascine. Cela fait des années que je me désole du désengagement politique des jeunes générations. À chaque élection l'abstentionnisme est de plus en plus important, surtout dans cette tranche de la population. Ils ne croient plus en l'homme providentiel, aux partis politiques et aux vieux schémas. Alors, pour compenser cette désillusion, beaucoup d'entre eux s'engagent sur le terrain. Ils font le pari qu'ils pourront changer la société en agissant concrètement et non à grands coups de décrets et de lois.

Ce que Guillaume et ses acolytes ont mis en place commence à convaincre les instances politiques. Le ministère du Logement vient de lancer un appel à projet basé exactement sur le même schéma que Calm. Le

MEDEF s'est intéressé à la volonté d'entreprendre des migrants et crée des programmes qui leur sont spécifiquement destinés. La mairie de Paris suit aussi le mouvement. Et lors de la dernière campagne présidentielle, Benoît Hamon, le candidat du Parti socialiste, s'est rendu dans les locaux de Singa. Il est arrivé en leur disant qu'il fallait « aider », qu'il voulait « aider », qu'il pensait « aider »... Ils lui ont répondu que, quand on voulait faire « pour », on passait souvent à côté des personnes concernées, de leurs spécificités, qu'il valait mieux faire « avec ». Après leur rencontre, le candidat a modifié son programme.

Les responsables de l'association se sont rendu compte que, malgré le dysfonctionnement dans l'accueil des migrants aujourd'hui en France, il ne servirait à rien de le dénoncer, qu'il fallait plutôt essayer de créer des modèles inspirants, pour que chacun puisse s'emparer de ces outils-là et agir soi-même, dans les ministères, les localités et les entreprises. C'est une stratégie à long terme qui commence à porter ses fruits. Ils viennent, par exemple, d'être contactés par Airbnb qui les a interrogés sur les moyens d'agir auprès des réfugiés après l'arrivée de Trump au pouvoir.

— Si une société de cette envergure se met à intervenir dans ce domaine, on ne parle plus de centaines de lieux d'accueil, mais plutôt de millions. Et ça change complètement la donne. En se laissant aller à un peu d'optimisme, on peut même imaginer que cela modifie l'équilibre du monde.

Son enthousiasme est contagieux. Et si la société civile prenait le relais et arrivait enfin à contrebalancer les politiques désastreuses des États en matière d'immigration, si nous, les citoyens, nous pouvions compenser le manque d'engagement des pouvoirs publics à travers le monde en nous investissant chacun à notre niveau, du berger des Alpes qui aide une famille de migrants à passer une frontière obsolète depuis longtemps à ce géant de la location immobilière qui est prêt à mettre des logements vacants à la disposition de sans-abri, quelle que soit leur origine ?

— Je suis confiant en l'avenir. On fait un travail de fourmi, on plante des graines, ça ne se voit pas encore mais, le jour où ça va éclore, ça risque d'être énorme. Le problème, c'est que les médias nous sapent le travail en permanence. On est obligé de nager à contre-courant et c'est épuisant. Les articles, c'est toujours « Juliette et Gérard ont accueilli un réfugié », jamais « Juliette et Gérard ont accueilli Ahmed » et encore moins « Deux Français ont accueilli Ahmed ». Autre exemple édifiant : Amnesty International a lancé une étude pour savoir combien de Français seraient prêts à accueillir un réfugié chez eux. 9 % ont répondu « oui ». La presse en a fait ses gros titres : « Moins de 10 % des Français sont prêts à accueillir un réfugié chez eux ! » Alors qu'on parle de 6 millions de Français, c'est fantastique ! Les journaux auraient dû titrer : « Six millions de Français sont prêts à accueillir un réfugié chez eux ! »

Ma mère est assise dans le jardin. Elle est plongée dans un des romans de son stock personnel. Des colonnes de livres qui s'entassent de chaque côté de son lit. Elle est curieuse et achète beaucoup plus de livres qu'elle ne peut en lire. Ma mère est un rêve pour les libraires, un fantasme pour les éditeurs, la cible préférée de n'importe quel auteur pour peu qu'il s'attache au réel.

Aujourd'hui, l'heureux élu est Erri de Luca, son écrivain italien préféré. *Le plus et le moins* dépassait de la pile.

« *Le dimanche, nous allions déjeuner chez la mère de ma mère, nonna Emma. Depuis le vendredi soir, elle se relayait avec sa belle-fille Lillina devant la toute petite flamme où mijotait le ragù.*

Cette sauce était un applaudissement de stade debout après un but, c'était une étreinte, un saut et une cascade dans les narines.

Chez elles, Emma et Lillina, j'ai reçu ensuite des informations détaillées sur la composition des aubergines à la parmesane, mon plat préféré à l'âge adulte.

Elles les préparaient en faisant passer le légume par trois feux. Elles coupaient les aubergines en tranches, les mettaient au soleil, la flamme la plus puissante pour sécher leur eau et renforcer leur goût. Puis elles les faisaient frire, dorant la cuisine d'une couleur de fête. Dernier feu, le four, après les avoir disposées par couches, chacune recouverte de sauce tomate, basilic, mozzarella et d'une poignée de parmesan. Trois feux participaient au plat qui coïncide le mieux pour moi avec le mot "maison".[1] »

Un sourire apparaît sur le visage de ma mère. Cuisine et littérature, comble du bonheur. Son téléphone sonne.

— Bonjour, Catherine Halard à l'appareil. Je suis bénévole pour l'association Singa. J'ai votre dossier sous les yeux. Êtes-vous toujours d'accord pour accueillir une personne chez vous ?

— Euh… Oui, oui, bien sûr.

— Formidable. Quand seriez-vous disponible pour rencontrer Mohammad ?

Ma mère réagit aussitôt et propose un rendez-vous dès le lendemain dans la brasserie en bas de chez elle. Elle raccroche et pose son livre sur ses genoux. Est-elle prête à installer sous son toit un étranger avec qui elle aura discuté dix minutes dans un café ? Elle a besoin de faire plus amplement connaissance avant de lui confier les clefs de sa maison. Elle décide de lui proposer un marché. Elle lui paiera une chambre d'hôtel dans le quartier pendant une semaine, ils passeront du temps ensemble dans la

---

1. Erri de Luca, *Le Plus et le Moins*, 2016.

journée, et une fois qu'ils se seront mutuellement apprivoisés, il pourra s'installer.

Qu'aurait fait mon père s'il était encore là ? Il l'aurait certainement dissuadée, lui qui tenait tant à sa tranquillité. Et si cela ne marche pas, aura-t-elle le courage de renvoyer ce garçon à la rue ? A-t-elle vraiment envie de s'embarrasser de la présence d'un inconnu au quotidien ? Cela pourrait vite devenir contraignant, pénible même. Il n'est pas trop tard pour changer d'avis… Elle jette un regard circulaire à la grande bâtisse qui entoure le jardin. «Quand on peut, on doit.» Elle avale une longue gorgée d'eau fraîche et replonge dans sa lecture en essayant de se concentrer sur la recette des aubergines *alla parmigiana*.

Mohammad est désœuvré. Cela fait une heure qu'il est assis, seul, dans cette grande salle où il attend l'instructeur censé l'initier à la comptabilité. Il a eu beau protester, argumenter, expliquer qu'il y avait certainement plus urgent pour lui que d'apprendre à « schématiser, répertorier et enregistrer les données chiffrées permettant de refléter et de qualifier aussi bien l'ampleur de son activité économique que ses conséquences sur l'inventaire de son patrimoine », ils n'ont rien voulu savoir. Il n'est pas autorisé à quitter cette pièce et prend son mal en patience. Il n'a même plus le courage de se connecter à Internet pour chercher d'autres foyers ou associations. Ayant épuisé tous ceux d'Île-de-France, il pourrait peut-être tenter sa chance ailleurs, dans une autre ville, une autre région, mais l'idée de s'éloigner de Paris le déprime profondément. Perdu dans ses pensées, il n'entend pas son téléphone vibrer au fond de son sac à dos. La personne qui cherche à le joindre insiste et rappelle. Cette deuxième tentative est la bonne. Mohammad décroche. Une femme à la voix grave se présente.

— Je m'appelle Catherine, je travaille pour l'association Singa, vous vous êtes bien inscrit sur notre plateforme ?

— Oui.

— Est-ce que vous êtes toujours à la recherche d'un hébergement ?

— Oui.

— J'ai une bonne nouvelle, quelqu'un est prêt à vous recevoir.

— Comment ça, me recevoir ?

— À vous accueillir chez elle.

— Vraiment ?

— Oui, mais il faut faire vite. Vous êtes à Paris ?

— Non, à Melun.

— Vous pouvez venir à Paris demain matin ?

— Non, je n'ai le droit de sortir que le week-end.

— Ah, c'est embêtant. La dame en question est souvent à la campagne le week-end. Vous pouvez peut-être me passer une personne responsable pour que je lui explique la situation ?

— Non. Je ne préfère pas.

— Il faut faire vite, vous savez. Il y a beaucoup de candidats.

— Oui, oui, ne vous inquiétez pas, je vais m'arranger. Dites-moi où et à quelle heure, j'y serai.

Il raccroche et pousse un cri strident. Le directeur entre en trombe dans la pièce.

— Qu'est-ce qui se passe ?

Mohammad sourit.

— Tu m'as fait peur, crétin.

Il le fusille du regard.

Mohammad se jette à l'eau.

— Est-ce que je peux exceptionnellement manquer une matinée de formation demain ?

— C'est hors de question.

— J'ai rendez-vous avec une personne qui va peut-être me trouver un logement à Paris.

— Si tu t'absentes, ce n'est pas la peine de revenir.

Le lendemain matin, il choisit ses plus beaux vêtements, passe au réfectoire se servir un café et se rend en classe, comme tous les jours. Il suit le cours de comptabilité pendant une trentaine de minutes puis demande à aller aux toilettes. Il quitte la salle et se dirige vers la sortie d'un pas nonchalant pour ne pas attirer l'attention. Une fois passée la grille d'entrée, il accélère en direction de la gare RER.

Il sait qu'il ne retrouvera pas sa chambre à son retour, mais sent que c'est sa dernière chance.

Plateau sur les genoux, ma mère prend son petit-déjeuner au lit en écoutant sa station préférée. Tasse de thé et demi-pamplemousse. L'été approche. Elle se serre la ceinture. Cela fait quarante ans qu'elle est au régime. Elle sait que cela ne s'arrêtera jamais. Elle est trop gourmande pour résister aux bonnes choses de la vie et a compris que c'était le prix à payer pour ne pas définitivement perdre le contrôle.

Elle choisit méticuleusement ses vêtements. C'est un rendez-vous important. Ce qui se joue aujourd'hui va changer la vie de ce garçon qu'elle ne connaît pas encore, mais certainement aussi bouleverser la sienne.

Mohammad est installé au milieu de la rame. Son mal de tête l'a repris au moment de monter dans le RER. La douleur est insupportable. Il colle son visage à la vitre pour essayer de trouver un peu de fraîcheur. Il espère que Marie-France parlera anglais, qu'il pourra s'exprimer clairement malgré cet étau qui lui enserre le crâne, qu'il fera bonne impression dans ces vêtements qu'il n'a pas pu repasser, qu'il arrivera à dissimuler sa tristesse, son désespoir. Il se répète en boucle : « Sois honnête, sois toi-même. »

Catherine a donné rendez-vous à ma mère une heure avant l'arrivée de Mohammad pour lui expliquer la marche à suivre. C'est une femme chic d'une soixantaine d'années. Elle travaille bénévolement pour cette association depuis six mois et a déjà trouvé des hébergements pour une quinzaine de migrants. La plupart du temps, ça se passe bien, même si elle déplore quelques expériences malheureuses. Cette dame âgée, par exemple, qui a accepté d'accueillir un jeune homme et qui l'a vu débarquer avec deux amis. Elle n'était pas d'accord. Ils ont insisté, prétextant qu'il y avait largement la place pour trois dans la chambre qu'elle proposait. Devant son refus catégorique, ils sont devenus agressifs. Elle a pris peur et décidé de ne plus accueillir personne.

— Pourquoi vous me racontez ça ?

— Je veux être honnête avec vous. Il y a parfois des incompatibilités, mais nous sommes là pour régler les conflits éventuels. Par exemple, j'ai eu le cas de cet écrivain célèbre qui voulait recueillir un Syrien et qui a été très contrarié que nous lui proposions une Rwandaise. Nous étions au cœur de la crise des réfugiés syriens et il trouvait certainement plus glorieux d'accueillir un adolescent d'Alep qu'une jeune femme rescapée d'un pays qui n'intéressait plus personne. Elle avait trente et un ans, parlait couramment français mais était dépressive. Elle passait ses journées dans sa chambre à regarder des séries sur son ordinateur. Lui écrivait dans la pièce à côté, et ça lui tapait sur le système. C'est vite devenu tendu entre eux et ça s'est mal terminé. Il lui a dit cette phrase terrible : « Ce qui me fait le plus mal, c'est de penser que c'est avec mes impôts qu'on vous paie le RSA, et pourtant je suis socialiste. » Elle a finalement été accueillie par une autre famille avec qui ça s'est très bien passé. Ce ne sont pas les individualités qui sont importantes, c'est la compatibilité entre les gens.

Elles commandent un autre café. Ma mère est curieuse. Y a-t-il un profil type du logeur ? Non, c'est très variable. Et comment choisit-elle les binômes ? Elle établit trois colonnes sur un fichier Excel : à droite les noms des réfugiés, à gauche ceux des candidats à l'hébergement, tous classés par âge, et au milieu, les centres d'intérêt de chacun. Elle connecte ensuite ceux qui ont le plus de points communs.

Le profil de Mohammad a particulièrement touché Catherine. Il a exactement l'âge de son dernier fils. Elle a pensé que sa passion pour la mode et sa curiosité intellectuelle seraient en adéquation avec l'amour de ma mère pour la littérature et le cinéma. Habituellement, elle essaie de mettre en relation des personnes du même âge, évite de mélanger les femmes seules et les hommes célibataires, mais elle a senti, dans son cas, qu'il avait besoin d'une figure maternelle.

— Où habite-t-il en ce moment ?

— Dans un foyer pour jeunes drogués et handicapés mentaux, en dehors de Paris.

Cette dernière information inquiète ma mère. Elle fait part à Catherine de son intention de loger Mohammad dans un hôtel pendant une semaine, afin de faire connaissance avec lui avant de le laisser dormir chez elle. Son interlocutrice approuve l'idée.

Les deux femmes s'entendent à merveille. Ma mère demande à Catherine si elle a déjà logé chez elle un des migrants dont elle s'est occupée.

— Je me suis beaucoup investie auprès de l'association, mais je me sens trop égoïste pour accueillir quelqu'un sous mon propre toit. J'ai un peu honte. Mon dernier fils vient de partir de la maison, nous sommes enfin tranquilles avec mon mari et nous n'avons ni l'envie ni le courage de nous retrouver de nouveau à trois. C'est vrai que j'ai l'impression de faire les choses à moitié, je culpabilise, mais chacun fait comme il peut. Moi, j'offre de mon temps, d'autres de l'argent ou des logements. Beaucoup le font pour se donner bonne conscience, mais cela n'a aucune importance. J'assiste souvent à des réunions entre les différentes familles d'accueil qui partagent leurs expériences. La plupart reconnaissent que ça leur procure une bonne image d'eux-mêmes, que ça les valorise par rapport à leur entourage. Tant mieux.

Mohammad entre dans le café. Catherine lui fait signe. Il avance doucement vers les deux femmes qui lui sourient. Il est épuisé, il a peur, essaie de donner le change. Il ne veut pas repartir là-bas, il ne veut plus dormir dans la rue, il veut de la douceur, de l'amour.

Il les salue poliment et demande s'il peut aller se laver les mains.

Ma mère s'attendait à voir entrer le commandant Massoud et se retrouve face à un jeune homme d'une vingtaine d'années avec un visage d'ange, la peau claire, les yeux légèrement bridés et les cheveux très noirs. Elle a tout de suite remarqué sa doudoune rouge et ses Converse neuves assorties. Elle est très sensible à la manière dont les gens se chaussent. Elle préférera toujours quelqu'un habillé négligemment avec de belles chaussures que le contraire.

Catherine l'interrompt dans ses pensées.

— Ah oui, j'oubliais, l'association préconise de ne pas trop poser de questions aux réfugiés sur leur passé lors de la première rencontre, pour ne pas les déstabiliser.

Mohammad revient, leur serre la main et s'assoit en face d'elles.

Ma mère prend la parole la première. Elle s'exprime avec beaucoup de douceur, dans un anglais très soigné.

— Bonjour Mohammad, je suis Marie-France.

— Enchanté.

— Alors, raconte-moi, comment tu es arrivé là ?

Catherine la fusille du regard. Ma mère lui sourit. Elle a besoin de savoir. Elle s'apprête à accueillir un inconnu chez elle et se moque des règles de l'association. Bientôt ça ne se passera plus qu'entre Mohammad et elle.

Ils parlent une dizaine de minutes. Mohammad raconte brièvement son parcours sur un ton très neutre. Sa collaboration avec l'armée française, puis la galère depuis son arrivée en France. Ma mère lui demande ce qu'il veut faire maintenant. Il répond que le plus important pour lui serait de pouvoir suivre des études et continuer la musique. Bien sûr, il va devoir travailler pour gagner sa vie, mais il veut absolument essayer d'entrer à l'université.

— Quelle université ?

— Je voudrais étudier les sciences politiques. Mon rêve serait de faire Sciences Po.

Ma mère sourit. C'est bien de rêver.

Elle le complimente sur le choix de ses vêtements. Il lui avoue que c'est sa passion cachée. Il a toujours aimé les beaux tissus et les belles coupes.

— De quoi as-tu le plus besoin aujourd'hui ?

— J'ai besoin d'un endroit où je peux poser mes sacs, dormir et retrouver la paix.

— Je suis prête à t'accueillir, mais il n'y a pas de liberté sans argent. Je vais te donner une chambre et aussi te trouver du travail... Je compte sur toi pour ne pas trahir ma confiance.

Les yeux de Mohammad brillent. Il ne dit rien, regarde ma mère fixement. Il répète lentement dans sa tête six mots magiques : Je/Suis/Prête/À/T'/Accueillir. Il essaie de garder son calme. Il a envie de serrer Marie-France dans ses bras, d'embrasser Catherine, de danser avec le serveur, de hurler de joie, de courir nu sur le boulevard.

— Tu veux venir quand ?

— Dès que possible.

— Va chercher tes affaires. Je t'attends à la maison.

Dans la rame du RER qui le ramène à Melun, Mohammad reprend doucement son souffle. Il sort de sa poche le bout de papier sur lequel Marie-France a griffonné son adresse. Il réalise alors qu'elle habite entre les Invalides et la tour Eiffel, à deux pas du musée de l'Armée ; il n'en revient pas. Il n'avait pas compris que leur rendez-vous avait lieu à côté de chez elle, là où il habiterait bientôt.

Il arrive au foyer. Il veut simplement récupérer ses affaires et prendre la tangente sans demander son reste. À peine a-t-il pénétré dans le bâtiment qu'un des éducateurs l'interpelle. Le type est furieux. Il lui demande de justifier son absence de la matinée. Mohammad se contente de lui annoncer qu'il quitte le centre. C'est impossible. Il doit attendre le directeur. Sans tenir compte des consignes, il part réunir ses affaires. Lorsqu'il revient à la réception, on lui annonce que le directeur n'est toujours pas là. C'est lui qui doit signer son autorisation de sortie. Deux surveillants se positionnent devant la porte principale pour l'empêcher de sortir. Une heure passe. La nuit commence à tomber. Marie-France doit se demander ce qu'il fabrique. Peut-être a-t-elle un dîner ou une soirée. Sera-t-elle encore là quand il arrivera ? Il ressort le papier, espérant y trouver au verso son numéro de téléphone, mais elle n'a noté que son adresse. Profitant de l'inattention des éducateurs, Mohammad se glisse hors du bâtiment et court à grandes enjambées jusqu'à la station de RER. Il prend un billet et marche jusqu'au bout du quai, le plus loin possible de l'entrée de la gare. Il jette régulièrement des regards anxieux en direction des escaliers. Personne. Il se dit qu'il est encore assez naïf pour croire qu'ils se préoccupent vraiment de lui. Prendraient-ils la peine de lui courir après ? Il n'existe pas pour eux, ni pour personne d'ailleurs. Le train arrive.

Je suis à Brooklyn. C'est l'été indien, ma saison préférée. Nous déjeunons avec ma fille Philomène à la terrasse du petit restaurant au coin de notre *block*. Elle vient de rentrer à la fac et se plaint de la promiscuité dans le dortoir qu'elle partage avec deux autres étudiantes. Les filles sont sympathiques mais elle a du mal à se concentrer sur son travail et n'a aucune intimité quand Charlie, son *boy-friend*, lui rend visite. Elle voudrait louer un studio avec lui à Bushwick. Quand nous avons visité le campus, j'avais presque envie de reprendre des études, pour vivre cette expérience typiquement américaine de la vie en communauté loin des parents et des problèmes du quotidien. Visiblement, c'est moins idyllique que je ne le fantasmais. Elle aimerait avoir son propre nid. Après tout, elle a dix-huit ans. Il faut juste qu'elle trouve un job d'appoint pour participer au loyer. Marché conclu. Je rentre à la maison et passe mon coup de téléphone hebdomadaire à ma mère avant de me remettre au travail. Il est 20 h 30 à Paris, l'heure idéale pour un debriefing familial. En général, c'est elle qui me donne des nouvelles de mes frères et du reste de la tribu.

— Ah, mon Benoit.

— Comment ça va ?

J'entends la radio en fond sonore.

— Qu'est-ce que tu fais de beau ce soir ?

— J'attends Mohammad. Je suis inquiète, il devrait être là depuis déjà un moment.

— Qui ça ?

Mohammad pousse la lourde porte de l'immeuble. Il traverse le hall et se retrouve devant une grille qui donne sur un petit jardin. Il sonne à l'interphone. Ma mère l'invite à entrer.

— Je me suis inquiétée.

— Je suis désolé, ils ne voulaient pas me laisser partir, au foyer.

— Comment tu as fait ?

— Je me suis enfui.

Elle sourit, complice, puis remarque son unique bagage.

— C'est tout ce que tu as comme affaires ?

— Oui.

— J'aime beaucoup ta valise. Elle est très belle. Tu l'as achetée où ?

— À Colombo, au Sri Lanka.

Visite guidée de la maison. Ils traversent le bureau puis le salon qui mène à la cuisine. Mohammad est impressionné par la hauteur sous plafond, la taille des pièces, la beauté des meubles, les larges fenêtres qui donnent sur le jardin intérieur et surtout le sentiment de bien-être qui se dégage du lieu. Cet endroit lui fait penser aux grandes bâtisses bourgeoises des quartiers chics d'Ispahan dont il apercevait de temps en temps l'intérieur, à travers une baie vitrée ou une porte entrouverte, sur le chemin de l'école. Ces demeures habitées par de riches familles iraniennes auxquelles il pensait qu'il n'aurait jamais accès.

Il est à la fois surexcité et complètement épuisé. Il lit dans les yeux de ma mère la déception devant son manque d'enthousiasme. Il n'arrive pas à donner le change.

— C'est trop. Je n'en demandais pas autant.

Il se promet de se rattraper plus tard, dès qu'il ira mieux, qu'il aura repris des forces.

Ils montent à l'étage et entrent dans une pièce spacieuse installée sous les toits. Un lit double, une armoire, un bureau et quelques marches qui mènent à une salle de bains privée.

— C'est ta chambre.

Mohammad se fige.

— Ça te plaît?

Il a du mal à retenir ses larmes. Ma mère s'approche de lui et le serre dans ses bras.

— Ne t'inquiète pas, ça va bien se passer.

Il est perdu, choqué. Il ne comprend pas ce qu'il fait là. Hier dans un foyer sinistre à Melun, aujourd'hui dans un hôtel particulier du septième arrondissement. Cela fait des années qu'il ne sait pas de quoi sera fait le lendemain. Chaque jour un nouveau défi, une nouvelle épreuve. Il ne s'est pas posé depuis une éternité, il ne s'est pas reposé depuis un siècle. Il n'arrive pas à croire que ce jour est peut-être arrivé. Son esprit n'est pas encore prêt. Il est hagard.

Ma mère lui propose de sortir dîner au restaurant. Il décline l'invitation. S'excuse mille fois. Il est trop fatigué.

— Nous avons tout notre temps. Repose-toi.

Avant de quitter la pièce, elle lui donne le code de la grille du jardin et lui explique que la maison n'est jamais fermée à clef. Ma mère a passé sa vie à faire confiance aux gens et, pour le moment, cela lui a plutôt réussi. Elle se fie à son instinct. Elle croit à sa bonne étoile. Elle refuse que la peur guide sa vie.

Sans même déballer ses affaires, Mohammad s'allonge sur son lit et fixe un long moment les étoiles par la fenêtre de sa nouvelle chambre. Il flotte. Et puis, soudain, son mal de crâne le rappelle à la réalité. Il se souvient de son départ précipité du foyer de Melun et décide d'envoyer un e-mail au directeur. Il se lève et attrape son ordinateur portable dans son sac. Il s'excuse d'être parti si précipitamment et indique sa nouvelle adresse pour qu'on puisse faire suivre son courrier. Mohammad jubile intérieurement en imaginant la tête de ce salopard lorsqu'il va comprendre qu'il vit maintenant à deux pas de la tour Eiffel. La réponse ne se fait pas attendre. Elle est cinglante. Le directeur est fou de rage. Il lui reproche de ne pas avoir respecté les règles et l'informe qu'il l'a signalé aux autorités. Il a dressé une liste de toutes les infractions au règlement qu'il a commises durant ces trois mois au foyer et lui explique qu'il n'a plus aucune chance d'être accepté à l'avenir dans aucun établissement de la région parisienne. Mohammad s'étrangle de rage. Il se tourne et se retourne dans son lit sans parvenir à trouver le sommeil. Tout à coup, il se lève, enfile ses vêtements et quitte la chambre. Il descend les escaliers en silence, se faufile à l'extérieur de la maison, traverse l'avenue déserte et s'engouffre dans la bouche de métro. Ligne 8, direction Créteil, deux changements, à Concorde et Châtelet-Les Halles, puis RER D direction Melun. Lorsqu'il sort de la rame au terminus, il est seul sur le quai. Il quitte la gare et marche dans la nuit jusqu'au foyer. Il se retrouve devant le portail et sonne. Pas de réponse. Il insiste, insiste et insiste encore. Au bout de quelques minutes, il entend un juron de l'autre côté du mur et des pas qui approchent. La grille s'ouvre. Le directeur apparaît, le regard haineux. Avant qu'il ait eu le temps de parler, Mohammad lui décoche un direct au foie, le type se plie en deux et s'écroule. Il l'attrape ensuite par le col et le traîne à l'intérieur de la cour. Lorsqu'il sort son cutter de sa poche, le directeur se met à gémir puis tente de se dégager. Mohammad lui enfonce doucement la lame à la base du cou. Plus personne ne bouge.

— Et tu fais quoi maintenant?

— Je suis désolé. Je vais retirer ma plainte, je leur dirai que je me suis trompé, je peux même te faire une lettre de recommandation si tu veux, je peux…

Ce type le dégoûte profondément. D'un coup sec, il lui tranche la jugulaire. Un geyser de sang s'élève vers le ciel et retombe sur le visage de Mohammad.

Ma mère a préparé un petit déjeuner pantagruélique, chocolat chaud, tartines, croissants, œufs brouillés, bacon et sa fameuse confiture de framboises. Mohammad ne sait pas par quoi commencer.

— Tu manges du bacon?

— Oui, pas de problème. La seule chose que je ne mange pas, c'est la chair humaine.

— Tu as bien dormi?

— Le lit est très confortable, mais j'ai fait un cauchemar terrible.

Il lui raconte sa virée nocturne à Melun, l'égorgement du directeur, puis attaque les viennoiseries. Un silence pesant s'installe autour de la table. Ma mère se concentre sur son demi-pamplemousse dont elle détache méthodiquement les quartiers avec une petite cuillère argentée et dentelée, spécialement conçue à cet effet.

— Je vais passer quelques coups de téléphone pour que tu puisses commencer à travailler au plus vite.

— Merci.

Il finit ses œufs et retourne dans sa chambre.

Ma mère compose le numéro de Richard, son ami psychiatre.

— J'imagine que c'est normal qu'il fasse des cauchemars, mais là c'est très violent quand même.

— Le syndrome traumatique est caractérisé justement par les rêves. Ce sont des scènes qui reviennent inlassablement. Les personnes concernées revivent une agression ou une situation extrêmement angoissante qu'ils ont vécue. C'est la figure même du cauchemar. Ça peut revenir toutes les nuits et les empêcher de dormir par peur de refaire le même cauchemar. Du coup, ils retardent au maximum le moment d'aller se coucher. L'autre particularité, c'est que c'est souvent plus angoissant que la réalité. Un peu comme une hallucination. Ce qui caractérise une hallucination, c'est que c'est plus vrai que vrai. Dans la vie, il peut toujours y avoir l'ébauche d'un doute. Alors que dans une hallucination, il n'y a pas le moindre doute. Les cauchemars traumatiques, c'est la même chose. Les scènes d'horreur auxquelles ils ont échappé sont revécues avec un niveau d'angoisse plus élevé encore que ce qu'ils ont réellement vécu. C'est ça, le plus terrible.

— Mais là, c'est différent. C'est comme si c'était une sorte de défouloir, un fantasme hyperviolent. Comme s'il voulait se venger de tout ce qu'on lui a fait subir. C'est inquiétant, non ?

— Au contraire, c'est plutôt bon signe. Ça veut dire qu'il sort de la dimension traumatique.

Mohammad passe les deux jours suivants au lit. Son mal de tête est réapparu, il n'a pas la force de se lever. Ma mère lui propose de se promener dans le quartier, de boire un café en terrasse, d'aller au cinéma, il refuse systématiquement. Elle se transforme alors en infirmière, lui apporte des cachets d'aspirine, lui épluche des pommes pour le nourrir en vitamines, lui prépare des infusions détox et lui sert ses repas au lit. Il la remercie à chaque fois du bout des lèvres.

Elle ne comprend pas. Pourquoi ne fait-il pas un effort ? Pourquoi est-il aussi sauvage ? Peut-être est-il hypocondriaque ? Paresseux ? Peut-être s'est-elle trompée ?

Au bout de quarante-huit heures, elle décide d'appeler Michel, le médecin qui s'est occupé de la famille pendant des années et a accompagné mon père jusqu'à son dernier souffle. Il arrivera sûrement à remettre sur pied le nouvel arrivant. Il l'ausculte mais ne trouve rien. Il s'isole avec ma mère dans la cuisine et lui livre ses conclusions : Mohammad est en état de choc. Le changement d'environnement est trop violent et il a besoin de temps pour s'adapter. Ma mère est désemparée. Elle pensait que cette maison ne pourrait que lui faire du bien, et c'est le contraire qui se produit. Sans compter qu'il est censé commencer à travailler dans deux jours. Le praticien est formel. Il a besoin de calme. Il faut être patient. Pas simple pour ma mère.

Elle prépare une tasse de thé, une brioche, et monte un plateau à Mohammad.

— Je suis vraiment désolé. Je devrais être le plus heureux des hommes.

Ma mère transfère son inquiétude et sa frustration sur des détails matériels. Mohammad n'a sûrement pas assez de vêtements dans sa petite valise. Elle a passé une série de coups de téléphone pour lui trouver du travail, insistant à chaque fois pour qu'il ne soit pas affecté à un poste de plongeur ou de manutentionnaire dans un stock de vêtements. Il faut qu'il soit au contact des clients, qu'il sorte de son mutisme. Elle lui a finalement dégoté une place de vendeur dans le *concept store* qu'elle a créé il y a quelques années avec mon père. Elle doit maintenant s'assurer que Mohammad soit présentable.

Elle appelle mon frère Thomas, qui habite à côté, et lui demande d'apporter des affaires dont il ne se sert plus.

Une heure plus tard, il arrive avec un sac rempli de quelques beaux pantalons, de chemises de marque et d'un magnifique manteau en cachemire. Il est accompagné par ses trois enfants qui veulent absolument rencontrer Mohammad. Ils lui ont préparé des dessins. Ma mère lui envoie un texto pour lui demander de descendre quelques minutes afin qu'elle lui présente son fils et ses petits-enfants. Lorsqu'il débouche dans le salon quelques minutes plus tard, ma mère comprend tout de suite à son expression qu'elle a commis une erreur. Les enfants le regardent comme un animal de cirque, leurs dessins à la main. Il essaie de donner le change, remercie poliment, mais elle sent qu'il est blessé. Le côté humiliant de la situation lui saute aux yeux. Elle abrège la séance, remercie Thomas et les raccompagne à la porte. Les enfants ne comprennent pas. Elle demande à mon frère de leur expliquer.

De retour dans le salon, elle trouve Mohammad debout au milieu de la pièce, le sac de vêtements pendant au bout du bras. Il la remercie et part se réfugier dans sa chambre.

Il s'allonge à nouveau et essaie de reprendre ses esprits. Il s'en veut terriblement de ne pas pouvoir montrer plus de gratitude. Toutes ces années d'errance, d'incertitude, de tension, de violence, l'ont asséché. Il n'arrive pas à avoir de compassion, d'empathie, ni le moindre altruisme. Comment fait-on pour donner de l'amour quand on ne s'aime pas soi-même ?

Il a passé tellement de temps à essayer de sauver sa peau au jour le jour qu'il en a oublié les autres. Il va devoir se remettre en état de marche s'il veut espérer s'intégrer. Il sait que ça prendra du temps. Il espère que Marie-France sera patiente.

J'ai besoin de parler à ma mère. Comprendre un peu mieux ce qui se passe du côté des Invalides, me rassurer aussi. Qui est ce type qui s'est installé chez mes parents ?

Je l'appelle. Elle finit de déjeuner, seule dans sa cuisine. Il fait beau. Fenêtres ouvertes, elle profite de cette belle journée de novembre. J'entends le piaillement des oiseaux du jardin à travers le combiné.

Elle me raconte que Mohammad a passé deux jours au lit, mais qu'elle a réussi à le convaincre de sortir dîner au restaurant avec elle ce soir. Elle a l'intention de le remettre sur pied.

— Je lui ai trouvé du travail. Il faut qu'il soit d'attaque.

Pourquoi fait-elle tout ça ? J'ai toujours pensé que sa grande générosité était un mélange de bonté et de culpabilité. Bonté transmise par sa mère qui était une sainte et culpabilité d'être en vie, contrairement à quatre de ses sœurs mortes prématurément du cancer, d'être plus riche que la plupart de ses amis et d'être reconnue sans l'avoir jamais vraiment cherché.

— Je ne suis pas naïve, je sais que ce que je fais est minime par rapport à la misère sur la planète, mais pour Mohammad, c'est énorme. Tout ça n'est qu'une question de point de vue, finalement.

— Tu n'as pas l'impression de faire ça par culpabilité ?

— Ah non ! quelle horreur !

— Pourquoi dis-tu ça ? La culpabilité n'est pas forcément quelque chose de négatif. On peut faire plein de choses formidables par culpabilité. Quand je donne une pièce dans la rue à un clochard, c'est par générosité, bien sûr, mais aussi parce que je me sens coupable d'être né au bon endroit, d'avoir tellement plus de chance que lui dans la vie. Il n'y a pas de honte à ça.

— Je n'aime pas cette idée.

Malgré l'air frais de cette fin d'automne, ma mère propose à Mohammad de marcher jusqu'au petit restaurant afghan qu'elle a déniché derrière le Panthéon. Elle a passé du temps sur Internet à chercher la bonne adresse. Elle a lu les critiques, étudié les photos, consulté les menus. Elle imagine lui faire plaisir en le reconnectant, le temps d'un repas, à ses racines. En passant la porte, une odeur très particulière se dégage de la cuisine. Mohammad s'immobilise devant une immense photo de montagnes enneigées. Précisément celles qu'il voyait depuis la fenêtre de sa chambre, chez ses parents. Il y a aussi des kilims accrochés aux murs. Ce sont des répliques de ceux qui couvraient le sol du salon de sa maison familiale d'Ispahan. Ma mère, sentant son trouble, cherche à le mettre à l'aise.

— Tu préfères t'asseoir du côté de la cuisine ou dans la salle ?

— Près de la fenêtre.

Il s'installe sur une chaise, dos au paysage de son enfance. Mohammad ouvre le menu. Il a du mal à dissimuler son émotion. Il choisit un *ashak* en entrée et du *qabuli* en plat.

— Il faut que tu gagnes ta vie. Je suis convaincue que tu peux faire beaucoup mieux que ce poste de vendeur que je te propose, mais déjà c'est une chance. À ton âge, j'étais jeune fille au pair en Angleterre et ça ne m'a pas empêchée ensuite de réaliser mes rêves. Au contraire, ça m'a donné de la force. Tu vas gagner de l'argent. Et qu'on le veuille ou non, l'argent c'est la liberté.

Mohammad ne la quitte pas des yeux.

— Je vais aussi te prêter quelques centaines d'euros que tu me rendras sur tes premiers salaires. Il faut que tu aies de quoi sortir. Tu ne vas pas rester prostré dans ta chambre. Je sais que c'est confortable chez moi, mais tu dois rencontrer d'autres personnes de ton âge. C'est le seul moyen d'améliorer ton français et de t'intégrer.

Elle leur sert deux verres de vin.

— Merci, Marie-France.

Le serveur pose devant lui un plat de raviolis à l'agneau recouvert de pois cassés, de coriandre et de yaourt. Ma mère, au régime à perpétuité, se contente d'une salade d'aubergines et de poivrons.

Mohammad prend une bouchée et pose sa fourchette.

— Ça va ? Ça te plaît ?

— Oui, beaucoup. C'est la première fois que je mange cette cuisine depuis que j'ai quitté l'Afghanistan. Ça a été un long voyage, cela fait longtemps que je n'ai pas revu ces montagnes, marché sur ces tapis, que je n'ai pas senti l'odeur du cumin et goûté un *ashak*. Ça fait remonter beaucoup de souvenirs. C'est très agréable, et douloureux en même temps.

— Tu as rencontré beaucoup d'autres Afghans depuis que tu es arrivé à Paris ?

— Ça m'est arrivé. En écoutant simplement la manière dont ils s'expriment, sans parler de ce qu'ils disent, je sais s'ils sont ouverts d'esprit ou non. Ce qui me gênait là-bas me gêne encore plus ici. Certains ont parcouru des milliers de kilomètres, mais au fond d'eux-mêmes ils n'ont pas changé. Ceux-là, je les évite. Les autres, j'aime bien les voir de temps en temps. Il y a un groupe d'Iraniens qui se retrouvent régulièrement. Ils sont cultivés et progressistes. Eux, ils me plaisent.

Il finit son assiette en silence, puis relève la tête

— Est-ce qu'il t'arrive parfois d'avoir envie de mourir ?
— Non. Pourquoi ? Toi oui ?
— Souvent.

À fin du repas, ma mère s'absente pour aller aux toilettes. Au passage, elle demande au serveur si la patronne accepterait de venir à leur table. Quelques minutes plus tard, une femme charmante d'une soixantaine d'années, un foulard dans les cheveux, les rejoint. Une fois les présentations faites, la discussion bascule vite en dari. Ma mère ne comprend rien mais voit une étincelle s'allumer dans l'œil de Mohammad.

En sortant, il la remercie. Il a adoré retrouver les saveurs de son pays mais lui avoue qu'il préférerait à l'avenir dîner dans des restaurants français. Message reçu.

Dans le taxi du retour, alors que Mohammad regarde la ville défiler à travers la vitre le long du quai des Grands-Augustins, ma mère se plonge dans ses pensées. Elle qui a l'habitude de contrôler les situations, de se fier à son instinct, d'avoir une bonne perception de ceux qui l'entourent, une facilité de contact, des rapports simples et transparents, elle ne sait pas comment s'y prendre avec Mohammad. Elle a l'impression qu'elle le met mal à l'aise, qu'elle le vexe, qu'elle est toujours à côté de la plaque. C'est un sentiment nouveau pour elle.

Mohammad s'arrête devant un immeuble bourgeois du cinquième arrondissement. À droite de la porte cochère, au-dessus du digicode, une plaque dorée sur laquelle est indiqué : « Docteur Richard Rechtman – Psychiatre/Psychanalyste ».

Il monte au cinquième étage et patiente dans une petite salle d'attente. Par la fenêtre il aperçoit le dôme du Val-de-Grâce, hôpital de cette armée française dont il a aimé faire partie, et qu'il déteste aujourd'hui.

Richard le fait entrer dans son bureau et lui propose de s'asseoir en face de lui.

— Alors ?

Mohammad parle de ses racines, raconte son parcours, puis son installation chez Marie-France.

— Je suis très anxieux. Je pense que je suis en dépression. Dans mon cas, avec ce que j'ai vécu, c'est normal. J'ai tout perdu, je n'ai plus de contact avec ceux que j'aime. Mais je sais que c'est passager. Dès que ma vie aura changé, je me sentirai mieux. Ce qui m'inquiète le plus, c'est ce mal de tête terrible que j'ai depuis quelque temps. C'est physique, bien sûr, mais probablement aussi psychologique. C'est la première fois de ma vie que je suis inquiet pour ma santé.

Mohammad s'exprime d'une voix monocorde, semble réciter un texte appris par cœur, cherche à être précis, suranalyse. Cette discussion doit aboutir sur quelque chose de concret. Il veut une solution tout de suite.

— Qu'est-ce qui vous rend le plus triste ?

— Je ne suis pas où j'ai envie d'être. Je suis seul. Je veux faire des études. Je veux rentrer à Sciences Po. C'est ça mon but.

Richard se contente de hocher la tête.

— Est-ce que vous avez des conseils à me donner ?

Richard sourit :

— À la semaine prochaine.

Mohammad lui serre la main et s'en va.

Il rentre à pied chez ma mère. Il est contrarié. Ce médecin est payé pour l'aider. Alors pourquoi ne répond-il pas à ses questions ? Ce n'est pas un jeu, on n'est pas dans un film. C'est la vraie vie, sa vie. Peut-être que pour Richard, ce n'est qu'une histoire de plus, mais pour lui, c'est vital. Il sait que, s'il arrive à intégrer cette grande école, tout changera pour lui. Il ne sera plus déprimé, il ne sera plus triste, il n'aura plus envie de mourir et n'aura plus besoin de ce genre de consultation. Il s'accroche à cette certitude, à ce rêve impossible.

Pour Halloween, ma mère organise une grande fête chez elle avec ses petits-enfants, mon oncle Ben, ma tante Dominique et Mitty, son amie américaine. Elle propose à Mohammad de se joindre à eux. Il décline l'invitation, mais elle insiste, arguant qu'elle lui a acheté un chapeau de magicien. Elle se dit que ça lui fera du bien de se sociabiliser un peu. Il finit par accepter à contrecœur.

Un couscous tunisien est servi sur la grande table de la salle à manger. Les enfants gavés de sucreries touchent à peine à la semoule et disparaissent dans le salon. On reste entre adultes. On rit, on trinque. Mohammad se sent agressé par toute cette joie et cette bonne humeur. Il serre les dents. Mon oncle ouvre une nouvelle bouteille de vin rouge et lui parle de son voyage en Afghanistan en 1978, quelques jours avant le début de la guerre contre les Soviétiques. Il raconte les bergers des steppes du Nord avec leurs troupeaux de quatre cents moutons, les compétitions de *bouzkachi* où des cavaliers se battent pour s'emparer de la carcasse d'une chèvre décapitée, la vallée de Bâmiyân, le spectacle époustouflant des bouddhas géants que les talibans détruiront treize ans plus tard, Kaboul se préparant aux combats, les tanks, les soldats. Mohammad aime qu'on lui parle de son pays. Il pense à ses parents, aux rues enneigées de son quartier, à la cour intérieure de sa maison et au cœur rouge des grenades dont il aimait sucer les grains un par un… En revanche, il n'aime pas la manière dont on s'adresse à lui. Beaucoup trop d'attention, de retenue, de délicatesse. Il souffre de la pitié et de la condescendance qu'il lit dans les yeux de ses interlocuteurs. Et même s'il se sent le bienvenu dans cette famille, il est mal à l'aise.

Ma mère voit qu'il ne se sent pas bien. Elle lui propose d'aller se reposer. C'est une libération. Il salue l'assemblée et s'éclipse.

Elle s'en veut. Elle a encore voulu aller trop vite.

Une fois les invités partis, elle monte les escaliers en pierre et frappe à la porte de la chambre de Mohammad.

— Oui ?

Elle le trouve allongé sur son lit.

— Je suis désolée.

— C'est moi qui m'excuse.

— Tu sais, j'ai bien conscience qu'il est beaucoup plus facile de donner que de recevoir.

Il attend qu'elle soit sortie de la pièce puis se répète cette phrase à plusieurs reprises : « Il est plus facile de donner que de recevoir. » Mohammad aime ce genre de vérité simple. Il a l'impression de faire un grand pas en avant chaque fois qu'il arrive à mettre des mots sur ce qu'il ressent. Il revient de l'enfer et a grandi trop vite. Il y a beaucoup de choses qu'il n'a pas eu le temps d'assimiler. Les gens le voient comme un jeune homme, mais il est déjà vieux. Comme un chat, il a vieilli sept fois plus vite que les êtres humains qui l'entourent.

Les amis de ma mère sont solidaires, la famille aussi. Alain a offert des disques à Mohammad, Adrienne et Arnaud un réfrigérateur, Christine une commode, Thomas des pantalons, Julien des chemises, Laurence l'a soigné gratuitement, Lena lui a présenté ses amis, Marie-Hélène lui a lavé son linge, Céline lui a donné des cours de français, Bernard aussi, Arthur lui a trouvé du travail, Bernie et Sylvie l'ont intégré dans leur équipe, Martine aussi...

Certaines personnes pensent probablement que ma mère se donne bonne conscience à moindres frais, qu'avec la place qu'elle a chez elle il est bien normal d'accueillir Mohammad. C'est vrai qu'elle a de l'espace. Mais les plus accueillants ne sont pas forcément ceux qui possèdent les plus grandes surfaces. J'ai lu l'histoire de cette famille qui faisait dormir ses quatre enfants dans la même chambre pour pouvoir loger un réfugié dans leur petit appartement. Ou encore le cas de cette femme célibataire dans un deux-pièces en banlieue parisienne qui, ne supportant pas la vue de ces hommes et femmes qui dorment sous ses fenêtres, abrite en permanence une ou deux personnes dans son salon.

Ma mère a accompli ce que beaucoup aimeraient faire, mais ne font pas. Des paroles aux actes il y a souvent un monde. Je me suis moi-même posé la question depuis que ma fille est partie à l'université et que nous avons une chambre vide dans notre maison de Brooklyn. Je me suis rendu compte que je n'étais pas prêt à héberger quelqu'un chez moi, à partager ma salle de bains, ma cuisine, mon salon. Je me réfugie derrière l'idée que je travaille à domicile et je ne peux pas prendre le risque d'être déconcentré. La réalité est que je ne veux pas renoncer à mon confort. Pourquoi, dans nos esprits d'Occidentaux, le confort est-il si important ? Pourquoi n'arrive-t-on pas à y renoncer ? Pourquoi sommes-nous à ce point renfermés sur nous-mêmes ?

À peine remis sur pied, Mohammad se retrouve chez Merci, *concept store* créé par mes parents il y a quelques années. Il est impressionné par la moyenne d'âge des employés, tous très jeunes, et par la beauté du magasin, un local immense et magnifiquement décoré.

Le manager lui fait signer un contrat et lui attribue un poste de vendeur. Il va, dans un premier temps, devoir passer d'un rayon à l'autre pour se familiariser avec l'esprit du lieu et la variété de l'offre : vêtements, décoration, quincaillerie, librairie, linge de table, papeterie, café, restaurant... On lui promet que, si tout se passe bien, dès qu'il parlera mieux le français, on lui trouvera un poste fixe à l'étage de la mode.

Après quelques jours à arpenter les lieux, il sympathise avec Bernie, la responsable du *Used Books Café*, qui lui propose de venir travailler avec elle au rez-de-chaussée du magasin. Boissons chaudes, tartes salées et sucrées et large choix de livres d'occasion. Mohammad se sent tout de suite à l'aise dans cet endroit. Il se partage entre la salle et la cuisine. Tout cela n'a pas de secret pour lui. Ça lui rappelle ses années de service à l'ambassade d'Angleterre ou à la Sodexo. Mais tout est ici tellement plus luxueux, plus excitant et plus facile.

Quelques jours plus tard, ma mère l'invite à prendre un petit déjeuner avant de partir travailler. Elle lui explique que le directeur du magasin l'a appelée pour lui dire qu'il était trop lent. Il doit être plus réactif, marcher plus vite. Mohammad encaisse et promet de rétablir le tir.

Dans le métro qui le mène au boulevard Beaumarchais, il se motive intérieurement. Il va leur montrer de quoi il est capable. Il veut que Marie-France soit fière de lui.

À peine arrivé, il se met au travail et accélère la cadence. Il comprend aux sourires que lui adresse la responsable que ses efforts paient.

Mohammad apprécie la clientèle. Ce sont des gens de toutes les nationalités, chics, curieux, cultivés, raffinés, branchés. De temps en temps, il a des flashs. Un mois plus tôt, il était encore mal logé, humilié, fauché, désespéré. Le fossé entre ces deux situations lui donne le vertige.

En plus de lui avoir fourni du travail, ma mère propose de lui payer des cours du soir à l'Alliance française. Son intégration passe par la maîtrise de la langue. S'il veut entreprendre des études, se faire des amis, tomber amoureux, c'est essentiel.

Mohammad a, pendant les vingt premières années de son existence, essayé de comprendre les subtilités du langage. Il a passé beaucoup de temps à analyser comment s'exprimaient les personnes autour de lui, quels mots utiliser pour être original sans paraître fou, quelle tournure de phrase employer pour être drôle, comment être sérieux quand c'est nécessaire, ironique, moqueur mais jamais humiliant, manier la grammaire, utiliser l'argot, avoir du vocabulaire, s'exprimer de manière châtiée... Il doit tout réapprendre. Il sait que ça ne se fera pas en un jour. Souvent les gens se demandent pourquoi il parle si peu. Ils pensent qu'il est bizarre, sauvage, malpoli, peut-être même idiot. C'est douloureux.

La meilleure façon de remercier ma mère est d'être assidu et sans reproche. Malheureusement, ses semaines de travail l'épuisent, il a de moins en moins la force d'enchaîner ses journées au café et les cours du soir à l'Alliance française. Il n'ose pas lui en parler. Il essaie de tenir ses engagements mais a du mal à se concentrer et s'endort souvent en classe. Quand il est vraiment trop fatigué, il sèche les cours et rentre discrètement se réfugier dans sa chambre, en espérant qu'elle ne s'en rend pas compte.

Ma mère sent que Mohammad a besoin de se reposer. Elle a prévu de passer le week-end dans notre maison familiale de Recloses avec les enfants de mon frère et lui propose de se joindre à eux.

Pendant que les gamins jouent dans le jardin, ils s'installent au coin du feu pour boire un thé. Elle parle beaucoup, lui peine encore à s'exprimer.

Mohammad lui fait penser à ces hommes et ces femmes revenant des camps de concentration à la fin de la Seconde Guerre mondiale sur lesquels elle a lu tant de récits. Il ne peut pas raconter. Il a envie d'oublier, de passer à autre chose. Il se sent humilié d'avoir accepté de subir tout ça. Il ne supporte pas la pitié.

Alors elle lui dit des choses simples. Elle lui fait part de ses croyances, ses certitudes, des quelques conseils importants qu'elle a reçus dans sa vie. Il l'écoute religieusement, aimerait pouvoir tout noter, la remercie. Ces paroles semblent l'apaiser. Leur discussion se prolonge jusqu'à la tombée de la nuit.

Ma mère a oublié les petits qui doivent être en train de se défouler sur le trampoline au fond du jardin. Ils dormiront mieux ce soir. Mohammad lui confie qu'il ne s'est pas senti aussi bien depuis des années. Il retrouve des sensations disparues.

Ils ne se connaissent pas depuis longtemps, pourtant ma mère remarque qu'il est de plus en plus à l'aise. Et même s'il dissimule encore beaucoup de choses, il se confie petit à petit, par bribes. Elle ne lui force jamais la main. Elle l'écoute avec attention, n'est jamais intrusive. Elle marche sur des œufs. Jour après jour, dîner après dîner, séance de cinéma après séance de cinéma, il s'ouvre à elle.

— Personne n'a jamais été aussi gentil avec moi, à part ma mère.

Il lui parle d'elle. De leur connexion profonde. Il lui raconte que sa mère était désespérée par le comportement de ses trois frères aînés qui étaient infernaux. Le plus vieux prenait beaucoup de drogues, les deux autres étaient très machos et lui manquaient de respect. Mohammad la voyait souvent pleurer. Il la consolait. Depuis toujours, il se sentait plus proche des femmes de sa famille, ses sœurs, sa mère, que des hommes. Il aimait boire le thé avec elles. Elles se confiaient à lui. Elles lui disaient qu'il était tendre, qu'aucun de ses frères ne s'intéressait à elles, ne les embrassait, n'était amical avec elles. Ses frères se moquaient de lui. Ils avaient grandi au sein d'une société dure, dans une famille pauvre où il fallait s'imposer pour survivre. Ils étaient devenus des hommes trop tôt. Ils avaient perdu toute douceur, toute tendresse. Lui était doux. Il était amoureux de sa mère. Elle s'occupait de tout dans la maison. Elle n'avait aucun moment pour elle. Elle n'avait jamais le temps de sortir, de voir des amies, elle passait ses journées enfermée à accomplir les tâches ménagères. Dès que possible, Mohammad l'aidait. Il voulait qu'elle retrouve le sourire. Ça arrivait de temps en temps, quand ils étaient tous les deux. Mais il savait déjà qu'ils finiraient par être séparés, qu'un jour il partirait, quitterait la maison, s'échapperait de cette société asphyxiante, s'enfuirait loin. Cela rendait ces moments encore plus précieux. Il en profitait. Quand elle cuisinait, il lui tournait autour, faisait des blagues. Il adorait entendre son rire. Elle lui manque, à chaque seconde.

Il l'appelle régulièrement grâce à Internet. Pas un mois ne se passe sans qu'ils se parlent. Elle l'écoute lui raconter sa nouvelle vie. Il aimerait la faire venir en France, mais ne sait pas si elle aura la force de supporter un tel voyage. Elle n'a que soixante ans, mais on vieillit beaucoup plus vite à Kaboul qu'à Paris.

Il confie à ma mère qu'après son départ d'Afghanistan il a souvent fait le même cauchemar : un de leurs chats s'échappe de la maison et se retrouve coincé au milieu d'une grande avenue, terrorisé par le flot des voitures qui le frôlent à toute allure. Sa mère se précipite pour essayer de le sauver, se fait renverser et meurt sous les roues d'un camion militaire.

Cela lui rappelle le rêve récurrent qu'elle faisait dans les mois qui ont suivi la mort de mon père. Nuit après nuit, il lui rendait visite et lui annonçait qu'il la quittait pour une autre femme.

Ma mère et moi avons aussi une relation fusionnelle. Mon départ a été un choc. Elle, si casanière, qui a toujours vécu dans la même ville, passé ses vacances pendant des années au même endroit, l'été en Provence, l'hiver en Aveyron, n'a pas compris que je puisse avoir envie de vivre ailleurs, loin d'elle. Elle était triste que je l'abandonne, et surprise de mon choix de devenir chauffeur de taxi. Puis, quand mon livre *Yellow Cab* a été publié, elle en a acheté des dizaines d'exemplaires qu'elle a offerts à tous ses amis. Un jour, j'ai découvert une dédicace qu'elle avait écrite sur la page de garde de l'un d'entre eux (étrange sensation de voir sa mère dédicacer son propre livre… J'ai pris ça pour une preuve d'amour) : « Chérir la différence de nos enfants et la vie qu'ils choisissent vers leurs bonheurs. » Elle avait compris.

En décidant de m'en aller, j'ai créé un appel d'air, un vide qu'elle a comblé, même si elle réfute fermement l'idée de m'avoir remplacé. Bien sûr, je ne suis pas le seul à avoir quitté le navire familial. Si mon père était toujours là, Mohammad serait certainement encore dans son foyer à Melun. C'est le déséquilibre qu'a engendré sa disparition qui a donné l'envie et la force à ma mère d'accueillir un inconnu chez elle.

Quelle que soit la perception de chacun, il se trouve que ce lieu que j'ai quitté pour me réinventer est devenu un refuge pour Mohammad. Lui rêve de revoir sa famille, alors que j'ai eu besoin de m'éloigner de la mienne pour m'autoriser à vivre autrement. Je pense à cette réflexion de la romancière Alice Zeniter sur l'exil de son grand-père : « *Il voulait faire sa vie à lui, persuadé que la chaleur qu'il perdrait en s'éloignant du troupeau serait compensée par l'espace et le temps que sa solitude lui offrirait.*[1] » C'est exactement ce que je ressens depuis mon départ. Et finalement, même s'il souffre de ne pas avoir eu le choix, Mohammad aura certainement une vie plus riche que s'il était resté auprès de son « troupeau ».

Mohammad me parle souvent du déchirement que représente cette séparation. J'essaie de le rassurer. Le temps et la distance permettent de construire une autre forme de rapports. Je lui explique que ma relation avec ma mère a gagné en puissance depuis que j'ai quitté la France. Peut-être que la sienne sera plus forte, de la même façon, quand il la retrouvera. Il me regarde fixement et hoche doucement la tête. Je le sens perplexe. Nos réalités sont à des années-lumière l'une de l'autre. Je peux à tout moment sauter dans un avion pour aller serrer ma mère dans mes bras. Lui non.

Le lendemain, au moment de repartir pour Paris, tôt dans l'après-midi pour éviter les embouteillages du dimanche, Mohammad félicite ma mère.
— C'est la plus belle maison que j'aie jamais vue.
— On pourra faire ton mariage ici si tu veux.

---

1. Alice Zeniter, *L'Art de perdre*, 2017.

Mohammad voudrait recommencer à faire de la musique. Il n'a rien composé ni chanté depuis son départ d'Afghanistan. Les morceaux de rap qu'il a enregistrés dans sa langue natale reposent principalement sur les paroles, et il sera difficile de les faire écouter par des professionnels ici à Paris. Il va en parler à ma mère. Elle connaît du monde, elle doit forcément avoir quelques connexions dans ce milieu.

Il descend dans la cuisine. Elle dîne seule. Steak grillé, haricots verts. Elle l'invite à s'asseoir et ouvre une bouteille de vin. Ils trinquent. Mohammad lui expose son projet. Pour lui, c'est un cri de colère, cette musique. Il y met tout ce qu'il ne peut pas exprimer au quotidien. C'est grâce au hip-hop qu'il n'est pas devenu fou pendant son adolescence en Afghanistan. C'était un défouloir précieux. Il sort de son portefeuille une photo sur laquelle il pose avec deux amis sur les hauteurs de Kaboul. Ils y adoptent tous les trois des poses classiques de rappeurs américains. Mohammad porte un bandana à tête de mort sur les cheveux, un tee-shirt siglé Baltimore au-dessus duquel pendent une chaîne dorée et une plaque d'identité militaire en métal, un pantalon baggy bleu foncé et des tennis Adidas usées. Il dit que s'il pouvait recommencer à écrire et à jouer, cela l'aiderait certainement à sortir de sa solitude.

Ma mère avoue avoir aussi peu de connexions dans le milieu du rap que de relations avec des producteurs de riz de la province du Sichuan. Elle a beau creuser, seuls deux noms lui viennent à l'esprit : NTM et IAM. Ceux que nous, ses fils, écoutions au siècle dernier. Continuent-ils de chanter ? Sont-ils toujours en vie ? Elle est désemparée par son manque total de connaissance du sujet. Elle s'imagine mal partir avec sa Smart à la rencontre des acteurs de la nouvelle scène hip-hop française. Elle plonge dans son répertoire à la recherche d'un contact oublié qui pourrait lui venir en aide. Elle a ses entrées dans les milieux de la mode, de la restauration ou de la presse, mais aucune connexion dans l'industrie de la musique. Seule idée qui lui vienne à l'esprit : une amie dentiste dont la clientèle est composée de nombreuses personnalités du show-biz. Elle l'appelle et lui expose son problème. Cette dernière, très réactive, lui cite quelques noms que ma mère ne connaît pas et lui propose d'organiser une rencontre dès que possible avec ceux qui seront disponibles. La perspective d'aider Mohammad l'enthousiasme.

Ma mère a dressé la table dans la salle à manger qu'elle réserve aux dîners de fête. Les repas se déroulent généralement dans la cuisine. Elle a sorti l'argenterie, fait un feu dans la cheminée et allumé des bougies dans le salon. Mohammad, sur son trente et un, l'aide à arranger les petites assiettes contenant des bâtonnets de carotte, des copeaux de vieux parmesan, des amandes grillées, des olives vertes épicées, des fines tranches de radis noir vinaigré et quelques tomates cerises multicolores sur un vieux plateau en bois. Chez nous, l'apéritif, moment clef de la soirée, a toujours été servi généreusement, à l'instar de la kémia tunisienne.

Les invités arrivent. Ma mère fait les présentations :

— Mohammad, Alain Chamfort.

— Alain, Mohammad.

Le chanteur est accompagné de Laurence, l'amie dentiste, et Bernard, la soixantaine, producteur de Véronique Sanson, de Gilbert Montagné ou encore de Serge Lama. Mohammad n'a jamais entendu ces noms mais comprend vite, étant donné la moyenne d'âge des convives, qu'ils n'ont rien à voir avec la scène hip-hop. La bienveillance des invités à son égard compense sa déception. Le chanteur, très chaleureux, l'invite à visiter son studio, Mohammad est aux anges. Rendez-vous est pris dès la semaine suivante. Le producteur avoue être un peu « rangé des voitures » et offre de lui donner des cours de français. Diplômé de Sciences Po, il a été professeur avant de se lancer dans la musique et propose de lui faire étudier *Le Petit Prince*, de Saint-Exupéry. Quant à Laurence elle accepte de lui ouvrir son carnet d'adresses s'il a besoin de contacts supplémentaires. Tous se quittent, « ravis d'avoir fait connaissance ».

La semaine suivante, Chamfort reçoit Mohammad dans son studio. C'est une luxueuse pièce capitonnée, mélange de boiseries exotiques, velours épais et sièges en cuir. Ils s'installent dans un profond canapé pour discuter. Le chanteur est curieux, veut en savoir plus sur sa musique, lui pose des questions précises sur ses projets. Mohammad lui montre des vidéos de rappeurs afghans et lui fait écouter quelques-uns de ses propres morceaux. Chamfort a l'air enthousiaste. La prochaine fois, pourquoi ne pas essayer d'enregistrer quelque chose ensemble ?

Dans les mois qui suivent, Mohammad essaie de joindre le chanteur à plusieurs reprises. Sans succès. Est-il parti en tournée ? A-t-il changé de numéro ? Ou bien, simplement, n'a-t-il plus envie de le voir ? Trouve-t-il sa musique médiocre ? Chamfort a peut-être raison. Ses morceaux amateurs enregistrés dans des caves de Kaboul ne sont sûrement pas assez aboutis.

Mohammad entend le vent qui siffle dans les volets et fixe les nuages qui défilent en vitesse accélérée devant la fenêtre de sa chambre. Il attrape sur sa table de nuit le livre qui a changé sa vie. Cet exemplaire que son ami Naïm lui avait offert dans les cuisines de l'ambassade d'Angleterre et qui ne l'a jamais quitté depuis. Il feuillette l'ouvrage jusqu'à la page 146 :

« Penser "Comment ?" plutôt que "Pourquoi ?" » Il relit ce chapitre pour la centième fois : « Devant une situation d'échec, les gens pessimistes se plaignent, se demandent : "Pourquoi ? Pourquoi moi ? Pourquoi suis-je si malchanceux ? Pourquoi je n'y arrive pas ? Pourquoi ?" Quand vous raisonnez de la sorte, vous détruisez votre confiance en vous et vous êtes bloqués. Non seulement vous acceptez l'échec mais vous ne cherchez pas à vous en sortir. Posez-vous plutôt la question : "Comment ? Comment je peux résoudre ce problème ? Comment je peux atteindre mes objectifs ? Comment je peux améliorer mon futur ? Comment ?" »

Mohammad referme le livre. Il s'allonge sur son lit et réfléchit. Comment le silence de Chamfort peut-il lui être bénéfique ? Quel enseignement en tirer ? Peut-être est-ce un signe. Peut-être est-ce le moment de se concentrer sur ses études. Il sera toujours temps de reprendre la musique plus tard. Avec les connaissances, l'expérience, la maturité qu'il va accumuler dans les années à venir, ses paroles seront sûrement plus riches et sa musique plus intense. Il imagine un jour se servir de ses chansons pour passer des messages à ses concitoyens afghans. Un rap politique et contestataire qui leur ouvrirait les yeux et changerait les mentalités.

Voyage éclair en France pour le mariage d'un ami.

Le chauffeur du taxi jaune qui me conduit à l'aéroport de JFK s'appelle Mohammad. Lui aussi est originaire de Kaboul. Je lui raconte la rencontre entre ma mère et son homonyme.

— Chaque Afghan qui a quitté son pays a une histoire particulière.

Il me raconte la sienne.

Ses parents étaient tous les deux professeurs de lycée jusqu'au jour où les Talibans ont pris le pouvoir et interdit à sa mère de continuer à enseigner. Peu de temps après, ils ont assassiné son père et son beau-frère. Mohammad avait quinze ans. Sa mère s'est retrouvée seule avec ses sept enfants. Une tante qui vivait à Los Angeles lui a alors parlé d'un programme que venait de créer la femme du président des États-Unis, Hillary Clinton, destiné à accueillir sur le sol américain les veuves afghanes. Elle est allée à l'ambassade raconter son histoire et a obtenu l'asile politique pour toute la famille. Ils sont arrivés à New York en 2001, quelques jours avant le 11-Septembre. Dans les mois qui ont suivi, Mohammad,

212

qui travaillait à l'époque dans une épicerie halal de Harlem, a reçu de nombreuses menaces. Des types entraient quotidiennement dans la boutique pour lui dire qu'ils allaient lui faire la peau. Un jour, un groupe de blacks du quartier lui a rendu visite. Leur chef, un ancien caïd, dealer de drogue, devenu l'imam de la principale mosquée du nord de la ville, avait entendu parler des menaces que recevaient certains commerçants du *neighborhood* et voulait s'assurer qu'ils n'avaient pas de problèmes. Mohammad leur a expliqué la situation. Ils sont revenus le lendemain au moment où les insultes fusaient à nouveau. L'imam a attrapé l'homme le plus virulent et lui a frappé la tête contre le mur. Lorsque le type s'est retourné et qu'il a découvert à qui il avait affaire, il s'est agenouillé, a imploré qu'il l'épargne et a promis de ne plus jamais importuner aucun musulman.

Dès mon arrivée à Paris, j'appelle Mohammad.

Nous nous retrouvons au Rosebud. Ambiance tamisée, cocktails savamment dosés et jazz de La Nouvelle-Orléans.

Il me confie que cette musique le « tue ».

— Je suis avec un ami, en train de boire un *old fashioned*. Ça me rend heureux.

— Tu regrettes parfois d'avoir quitté l'Afghanistan ?

— Si j'étais resté là-bas, je serais probablement mort à l'heure qu'il est. Mais en imaginant que je sois toujours vivant, j'aurais probablement travaillé pour les autres forces d'intervention étrangères, les Anglais ou les Américains. J'aurais économisé, tout en continuant à aider ma famille. Dès que j'aurais eu assez d'argent de côté, j'aurais repris la musique et étudié les sciences politiques. Dix ans plus tard, j'aurais eu une femme, des enfants et une maison. Ça, c'était ce dont je rêvais. Mais la réalité était beaucoup moins simple. J'avais très peu de contacts. J'étais différent. Ma manière de penser ne correspondait pas au monde qui m'entourait. Je faisais semblant. Enfant, si mes parents me demandaient de prier ou de faire le ramadan, je m'y pliais, je n'avais pas le choix. Parce que, même si je ne croyais plus en Dieu, je croyais en l'amour. Je ne voulais pas leur faire de peine. Encore aujourd'hui, quand ils m'appellent et me demandent si je fais bien mes prières, je suis obligé de leur mentir. Pour ceux qui se contentent de se lever le matin, de suivre les règles et de prier, la vie est simple. De temps en temps, je suis jaloux. Quand tu ne sais pas pourquoi tu bois un verre d'eau, c'est merveilleux, tu remplis ton verre d'eau fraîche, tu le bois et tu te sens bien, mais quand tu commences à te poser la question : « Pourquoi je bois de l'eau ? », tout devient plus compliqué. Aujourd'hui, j'ai devant moi une balance. D'un côté, il y a les éléments négatifs, ce que j'ai vécu pendant les vingt premières années de ma vie, et de l'autre, les choses positives que j'essaie d'accumuler jour après jour depuis que je suis ici. La balance penche encore largement du mauvais côté, mais je sens petit à petit que l'équilibre se rétablit. Peut-être un jour basculera-t-elle de l'autre côté ?

— Tu sais, Mohammad, ce que je vais te dire va te paraître horrible, mais, compte tenu de tes capacités, c'est une chance, ce qui t'est arrivé. C'est d'une violence inouïe, mais c'est une opportunité incroyable. Tu vis maintenant dans un pays libre et tu vas pouvoir donner naissance à la personne exceptionnelle que tu es. Tu vas faire des choses formidables.

Il m'a confié que j'étais son ami alors je me permets de le brusquer un peu. Je lui raconte l'histoire de mon professeur de français en classe de seconde qui avait dit à un élève qui venait de perdre son père qu'il avait de la chance. Tout le monde dans la classe était consterné. « Regarde tes camarades autour de toi, avec leurs petites vies bourgeoises, ils sont secs, n'ont rien à raconter, rien contre quoi se révolter, tout est tellement facile, c'est à crever d'ennui. » À l'époque, ça m'avait révolté. Aujourd'hui, je comprends mieux. J'explique à Mohammad que, même s'il rencontre plus d'obstacles que ceux qui s'enferment dans l'ignorance et le confort, il ira plus loin qu'eux. Et le jour où il sera heureux, il sera plus heureux qu'eux.

Je lui parle comme un grand frère. Pour la première fois.

— C'est un peu comme en amour. Quand on tombe amoureux, on prend le risque de souffrir terriblement le jour où ça s'arrête, et malheureusement ça s'arrête d'une manière ou d'une autre, mais le jeu en vaut la chandelle. Le seul moment dans ta vie où tu n'as pas conscience de ça, c'est pendant ton enfance.

— Je n'ai pas eu d'enfance. J'ai grandi comme un adulte. Cette vie violente, ces expériences traumatisantes ont eu un double effet sur ma personnalité. D'un côté, ça m'a permis de me construire plus fortement, de l'autre, ça a détruit beaucoup de choses en moi.

— Est-ce que tu as l'impression que ces choses détruites peuvent être reconstruites, ou est-ce que ça te semble irréversible ?

215

— Je ne sais pas.

— Peut-être peux-tu te débarrasser de ce qui t'encombre et t'empêche d'avancer en en parlant à quelqu'un.

Mohammad boit une longue gorgée de whisky et croque dans la petite cerise à l'eau-de-vie qui flotte à la surface de son cocktail, entre deux glaçons.

— Ça dépend de la personne avec qui je parle. Avec toi, par exemple, ça me fait du bien.

— Tu devrais peut-être consulter quelqu'un dont c'est le métier.

— Je vois Richard, un ami psychiatre de ta mère, depuis deux mois.

J'invite Richard à dîner.

Nous nous retrouvons dans un restaurant du quartier de la Bastille. Il m'interroge sur mon expérience new-yorkaise. Richard s'inquiète de savoir comment ma mère vit cette nouvelle situation. Je lui raconte le rééquilibrage familial lié à mon départ. J'ai l'impression que ma mère s'est rapprochée de mes deux frères et que notre relation, après quelques mois de tension, a gagné en intensité. J'oriente la discussion sur Mohammad. Richard me prévient tout de suite, il ne me livrera rien de personnel. Secret professionnel oblige.

Je lui parle de nos heures d'échange au coin du feu.

— J'ai eu l'impression que ça lui faisait du bien. Il n'a pas grand monde avec qui parler. Son niveau de français ne lui permet pas encore de communiquer avec les gens autour de lui et il refuse de rencontrer d'autres Afghans.

— Il y a une nécessité de couper. Couper quelque chose, que ce soit son nom de famille, son origine, pour en finir et avoir le sentiment de renaître. Mais en fait on ne coupe pas, on met dans le passé pour faire en sorte que ce ne soit plus le présent. C'est très dur de vivre dans un présent qui ne soit pas le fruit du passé. La migration dans ces conditions-là entraîne une perte symbolique impalpable. Par exemple, quand on perd un proche, c'est palpable. Ça bouleverse ton quotidien. Mais quand tu quittes tes proches, ta famille, petit à petit tu n'es plus inquiet car tu ne les vois plus, il n'y a plus de problème. Et si l'un d'eux disparaît, tout à coup tu fais une expérience très complexe, qui consiste à te dire : « Ça ne change rien par rapport à avant. » Et pourtant, quelque chose a changé. Il y a une perte, mais tu ne peux pas la représenter. Dans l'exil, il se passe quelque chose du même ordre. Tu as perdu une terre, tu as perdu des habitudes, tu as perdu des amis. Tu sais que tu as perdu quelque chose, mais tu ne sais pas quoi, exactement. Donc la plupart des exilés n'ont qu'une obsession, faire disparaître cette perte, ce passé.

Je lui confie que cela me rappelle mon père, qui, après avoir quitté la Tunisie au début des années 60, avait coupé tous les ponts.

— Ce que vivent les migrants aujourd'hui est encore plus terrible. Ils sont chassés, ils sont trahis, ils risquent leur vie et sont rejetés une fois qu'ils arrivent ici. Je suis sûr que ça a été dur pour ton père d'être déraciné, mais la réalité de l'immigration est beaucoup plus violente aujourd'hui qu'il y a cinquante ans. Et même sans aller aussi loin, par exemple, dans les années 80, les *boat people* qui traversaient des épreuves au moins aussi traumatisantes étaient accueillis très chaleureusement à leur arrivée en France. Ça change tout. Pourtant les

Syriens, les Irakiens, les Afghans sont plus proches de nous culturellement que les Cambodgiens ou les Vietnamiens... Ceux qui sont capables de partir comme ça, en abandonnant tout, en prenant des risques considérables, ont généralement décidé d'être maîtres de leur mort. C'est-à-dire que, plutôt que de mourir sous les bombes ou assassinés, ils meurent en mer, sur la plage ou dans les montagnes, mais c'est leur choix. C'est un moment de sauvetage subjectif. Le problème, c'est que quand ils arrivent, ils pensent être sauvés, et l'urgence de survivre disparaît. Ils n'ont plus d'un côté la mort et de l'autre la vie, ils n'ont plus que la mort sociale et une vie merdique. Et ça, ils ne s'y attendaient pas. Quand tu es face à un tel défi, tu te dis que si tu survis, forcément, après, ce sera formidable. Alors qu'au contraire ils vivent une humiliation du quotidien, ils sont considérés comme des moins que rien. C'est épouvantable. Surtout pour ceux qui sont éduqués, qui avaient un statut social, pour eux, c'est une déflagration... Ce sont des populations qui subissent l'équivalent des pogroms des juifs en Europe de l'Est dans les années 30. Quand mon grand-père polonais a quitté Varsovie pendant la Première Guerre mondiale, il avait treize ans. Il est parti tout seul, il a traversé à pied l'Europe en guerre, il voulait aller aux États-Unis, mais il s'est arrêté en France. À l'époque, les juifs se prenaient des claques dans la rue, étaient de véritables boucs émissaires. Pourtant, il a fait fortune, en ne parlant que yiddish. Puis il a tout perdu, avec l'arrivée des nazis. Des générations et des générations d'hommes et de femmes persécutés, ça crée aussi des positions subjectives assez fortes. On a souvent dit que les juifs étaient les intellectuels les plus puissants du XXe siècle parce qu'ils avaient été persécutés. Tu te libères des entraves d'un espace clos par nécessité et tu t'ouvres, souvent malgré toi, sur le monde. Par exemple l'Afghanistan clanique, qu'a fui Mohammad, est épouvantable. C'est une bénédiction qu'il se soit enfui.

J'essaie d'imaginer les séances avec Mohammad. Richard lui explique-t-il tout ça ? L'interroge-t-il sur son passé ? Ou se contente-t-il de le laisser parler ? Et lui, Mohammad, dit-il la vérité ?

— Il faut souligner que ces personnes ont à la fois un destin collectif, parce qu'ils sont tous embarqués dans la même histoire, et en même temps une multitude d'histoires singulières. Et le problème, c'est qu'on a tendance à leur coller une étiquette globale extrêmement pénible à porter. Ce sont « les Afghans », « les Syriens », « les Kurdes », « les migrants ». Pour eux, c'est une expérience très déroutante. C'est pour ça que c'est amusant que Mohammad te demande comment tu ferais si tu étais un réfugié afghan alors que la vraie question, c'est : « Comment tu ferais si tu étais moi ? »

Richard boit une longue gorgée de vin. Je me demande comment cet homme qui se bat depuis plus de trente ans pour venir en aide à ces populations martyrisées peut encore avoir la foi.

— Je suis très sensible à la manière dont ta mère parle de Mohammad. Elle parle de lui avec beaucoup de naturel, comme de tes frères, ou de n'importe quel autre ami de la famille. Ce n'est pas fréquent, et c'est une grande qualité de ne pas en avoir fait un représentant de « l'autre ». C'est probablement une des raisons pour lesquelles Mohammad se sent bien avec elle. Il m'a d'ailleurs dit qu'elle était la première personne en qui il avait entièrement confiance depuis son départ d'Afghanistan. La manière dont elle le perçoit doit y être pour beaucoup. On ne mesure pas à quel point la confiance est importante pour ces gens-là. On utilise le mot « confiance » très souvent et il est un peu galvaudé, mais c'est un terme fondamental. Toute notre société est basée sur la confiance, sans qu'on s'en rende compte. Par exemple, dans ce restaurant, sans le savoir, tu as confiance en tout le monde, tu as le dos tourné, tu n'es pas en train de t'imaginer qu'un mec va rentrer avec une kalachnikov, tu n'es pas en train de t'imaginer que le mec derrière toi va se lever et t'égorger, tu n'es pas en train de t'imaginer qu'on est en train de t'empoisonner avec ce vin... C'est une opération psychique extrêmement complexe. Ça veut dire que tu fais confiance à tout ton environnement. Tu te sens en sécurité. Eh bien, ce mécanisme-là, quand tu le perds, tu ne peux plus bouger parce que tu ne peux rien déléguer, tu ne peux faire confiance à personne d'autre qu'à toi-même. Comment tu vis ? Comment tu dors ? Tu calfeutres ta porte. Et si tu dors avec quelqu'un, comment tu t'en sors ? Ces types font des cauchemars en permanence. Certains en deviennent fous... Alors, si ta mère a restauré la confiance chez lui, c'est vachement beau.

— Tu es optimiste ?

— Mohammad a vraiment un charisme très particulier. Si nous arrivons à le faire sortir de sa dépression, il a tout pour être brillant.

Le dîner touche à sa fin. Je quitte la table pour aller aux toilettes. Au milieu de la cuvette, une mouche se débat dans l'eau. Après un moment d'hésitation, je lui pisse dessus et tire la chasse.

Mon avion décolle à 11 h 45. Ma mère et moi avons le temps de prendre un dernier petit déjeuner avant que je parte pour l'aéroport.

Elle me demande des nouvelles de Mohammad qu'elle n'a fait que croiser en coup de vent depuis quelques jours. Elle est contente de l'amitié qui est en train de naître entre nous. Pendant des mois, il n'a eu qu'elle comme point d'attache. Aujourd'hui, il sait que, même loin, je suis là pour lui. Chaque fois que je reviens à Paris, nous passons du temps ensemble. Bien sûr, je me nourris de nos conversations pour mon projet, mais je me rends compte que je prends de plus en plus de plaisir à le fréquenter. Nous attendons tous les deux avec beaucoup d'impatience le moment où il sera enfin autorisé à me rendre visite à New York.

Ma mère est d'humeur bavarde ce matin.

Elle me confie qu'à force de fréquenter Mohammad elle prend conscience qu'elle avait une idée un peu simpliste des raisons de son mal-être. À ses yeux, cela se résumait à ce qu'il avait vécu avant d'arriver chez elle. Les persécutions, l'errance, les nuits dans la rue, la faim, et surtout l'humiliation. Elle pensait qu'un homme qui sort de l'enfer, d'une telle précarité, et qui arrive dans un endroit comme cet hôtel particulier doit forcément être heureux. Instantanément. En fait, c'est un mutant qui déboule dans un monde dont il n'a aucun code. Il m'a confié un jour qu'il avait l'impression de n'avoir que sept ans et non vingt-trois comme indiqué sur son passeport. Sa renaissance date du jour où il a découvert *The Technology of Thoughts* et commencé à réfléchir par lui-même. Ma mère se rend compte qu'en plus de le loger elle doit s'occuper de lui comme d'un enfant. Il ne suffit pas de le blanchir, de le nourrir et de lui trouver du travail. Il faut être attentive, l'écouter, le conseiller, le rassurer, discuter avec lui pendant des heures, l'emmener au restaurant, le sortir au spectacle, mais aussi le sermonner de temps en temps. Au début, quand il a débarqué dans sa vie, elle pensait qu'elle lui offrait déjà un bel hôtel, un gagne-pain, et que ça devait suffire. Et puis il n'avait sans doute pas envie d'avoir une vieille dame sur le dos. Elle se trompait.

Mohammad a acheté un cactus.

Cette plante grasse l'inspire. Sa force. Sa solidité. Sa longévité. Sa capacité à survivre en milieu aride. Sa lente et inexorable croissance.

Il occupe dorénavant la plus grande partie de son temps libre à méditer. Il essaie de trouver sa voie. Il a enfin un endroit paisible où vivre, il doit maintenant réfléchir à la suite. Comment se servir de cette chance pour aller plus loin, pour se dépasser. Mais il a encore du mal à se concentrer. Son esprit est embué. La méditation l'aide à évacuer les parasites du passé et à se focaliser sur l'avenir. Il y passe beaucoup de temps et sent qu'il progresse.

Sa seule crainte est que ma mère ne comprenne pas pourquoi il s'enferme à nouveau dans sa chambre, qu'elle l'imagine en train de surfer sur Internet alors qu'il est assis face à son cactus dans le silence de sa chambre mansardée. C'est une femme rationnelle. Il est probable que le concept de méditation lui échappe.

Lorsque Mohammad me parle de son cactus, mon visage s'illumine. J'ai moi aussi une passion pour ces succulentes xérophytes qui se distinguent des autres plantes par un caractère anatomique particulier, une structure feutrée ayant l'aspect d'un coussin dont émergent, suivant les saisons, des poils, des épines, des branches ou des fleurs et qui peuvent prendre plusieurs formes différentes, allant de sphères minuscules de quelques millimètres de diamètre à des arbres de plus de vingt mètres de haut, pesant jusqu'à vingt-cinq tonnes. Ma première vraie rencontre avec ces plantes au pouvoir magique a eu lieu à Tucson, en Arizona, il y a quelques années. J'avais à l'époque un projet de film racontant l'histoire de deux frères qui partent à la recherche de leur mère au milieu du désert. J'ai tout de suite été fasciné par cette ville entièrement entourée de cactus, plantée à quelques kilomètres de la frontière mexicaine. Depuis, je m'y rends régulièrement. Chaque fois je me réfugie au Congress Hotel. C'est une bâtisse datant de la fin du XIXe siècle construite au-dessus d'une salle de concert. Le réceptionniste vous offre des boules Quiès à votre arrivée en signe de bienvenue. Une affiche au-dessus du comptoir annonce la couleur : « Vous êtes dans un hôtel rock'n'roll. Aucune plainte concernant le bruit ne sera prise en compte. » Les soirées se partagent entre les différents groupes de musique qui se relaient dans la vieille salle de concert mythique, les trois bars servant des margaritas bouleversantes préparées avec de la tequila locale et le restaurant extérieur proposant une viande fumée dans un barbecue en forme de locomotive rouillée depuis les premières heures de la matinée. La température ne descend jamais au-dessous de 25 degrés. La proximité de la frontière donne à l'endroit une ambiance très particulière. Lorsqu'on traverse le désert dans des décors dignes des westerns fordiens, on s'attend à tout moment à voir sortir une famille de clandestins entre deux cactus. Le ballet des véhicules de la *border patrol* sur ces routes abandonnées rappelle la réalité de la lutte sans merci contre l'immigration. Tucson est la seule ville démocrate de cet État ultra-conservateur dont le drapeau représente un colt. De nombreuses associations de la commune viennent en aide aux immigrés illégaux et la population se joint à elles pour assurer la protection de ces hommes et ces femmes qui risquent leur vie en traversant ce désert si attirant et exotique pour des touristes comme moi, mais assassin pour eux et leurs familles. Même la police locale, solidaire, refuse de prêter main forte aux officiers du contrôle aux frontières.

Mohammad m'écoute lui décrire cette contrée lointaine, des étoiles dans les yeux. Puissance fantasmagorique de l'Amérique.

Au bout de plusieurs jours de réflexion et de méditation, Mohammad décide de relever le défi, de tenter l'impossible. Se dépasser. Se transcender. Surprendre le monde entier. Marie-France, ses collègues de travail, sa patronne, le directeur du foyer, les deux Marc, celui de Colombo et celui de Sarrebourg, ceux du pays, ses parents, ses frères, ses sœurs, ses amis, Rohullah, Naïm, Jawad et Bagher. Il va présenter le prochain concours d'entrée à Sciences Po.

Mohammad ne peut pas se contenter de gagner sa vie comme serveur. Il revient de trop loin pour se satisfaire de ce poste, même dans le *concept store* le plus chic de Paris. Il est pressé et ambitieux. Il veut faire des études. La plupart des hommes travaillent pour rendre possibles les rêves des autres ; lui compte réaliser les siens.

Il a économisé assez pour voir venir. Il n'a aucuns frais, pas de loyer, un Pass Navigo gratuit et se nourrit la plupart du temps sur son lieu de travail.

Sa seule vraie dépense est l'argent qu'il envoie à ses parents. Il leur reverse chaque mois un tiers de ce qu'il gagne. Et il y a parfois des imprévus. Son frère l'a appelé, il y a quelques semaines, pour lui annoncer qu'il voulait se marier mais qu'il n'avait pas les moyens d'organiser la cérémonie. Ses parents étant trop vieux pour travailler et ne pouvant pas l'aider, il allait devoir annuler les festivités. Mohammad n'a pas hésité et a sacrifié la moitié de ses économies. Il savait que cela ferait plaisir à ses parents. Il ne supporte pas de les imaginer malheureux. Alors il a payé pour ce mariage auquel il ne pourra pas assister.

Après avoir passé plusieurs années à vivre de rien, il s'autorise aussi quelques nouvelles dépenses, principalement des habits. Il veut être propre et chic pour se fondre dans le monde dans lequel il évolue dorénavant. À Kaboul, il se rendait dans une boutique qui vendait des vêtements de marque d'occasion. Non pas des copies fabriquées en Chine, mais des originaux. C'était important pour lui. Aujourd'hui, il peut s'offrir des chemises et des pantalons qui sortent de l'usine. C'est mieux. Il est particulièrement sensible à l'odeur du neuf.

Après ce qu'il a traversé, il considère ces cadeaux comme des récompenses.

Mohammad sait que s'il commence des études maintenant, il lui faudra au moins sept ans pour obtenir le diplôme dont il rêve. Il a vingt-trois ans. N'est-il pas trop vieux pour se lancer ce genre de défi ?

Il fait un tableau. D'un côté, les obstacles, les risques, les handicaps, de l'autre, les possibilités, les avantages, les bénéfices. Le verdict tombe : 14 positifs contre 8 négatifs. Plus d'hésitation. Il va se concentrer sur l'histoire, les sciences politiques et le management. Il cherche sur Internet les différentes classes préparatoires dans lesquelles il pourrait être accepté. Il envoie des e-mails, passe des coups de téléphone, pose des questions, compile des plaquettes, va visiter des dizaines d'établissements... Aucun site, aucune plateforme n'offre les informations nécessaires à ce genre de démarche. Ce travail de fourmi en a certainement découragé plus d'un. Tant mieux, il y aura moins de concurrence. Il passe beaucoup de temps à la Sorbonne. Il a beau n'être que de passage, il aime l'ambiance particulière de cette vieille université, adore se balader dans les couloirs de cette faculté emblématique qui fait rêver les érudits du monde entier. Il discute avec les étudiants qu'il croise, interroge les professeurs pendant leur pause-café. L'un d'eux lui apprend la création récente de Wintegreat, un organisme d'aide aux réfugiés dans leurs recherches de formation, aussi bien scolaire que professionnelle. Il lui conseille de s'adresser à eux.

Dès le lendemain, il appelle. On lui confirme qu'il a le profil requis pour déposer sa candidature. Il est pressé. On lui fixe un rendez-vous pour la semaine suivante.

C'est le moment d'en parler à Marie-France.

Il l'invite Chez Max, petit bistrot de quartier où elle a ses habitudes. Elle vient régulièrement y déguster le « délicieux » steak tartare-salade tout en rêvant secrètement du boudin noir-purée, spécialité de la maison.

Ils sortent de l'immeuble, traversent l'avenue et s'installent à la petite table près de l'entrée.

Cela fait des mois que Mohammad fréquente ma mère et il est toujours aussi impressionné par son élégance, quelles que soient les circonstances. Ce soir, elle porte une longue tunique japonaise sur un pantalon en soie bleu, des chaussures d'homme à lacets, parfaitement cirées, peu de maquillage et un pic en faux ivoire nonchalamment planté dans ses cheveux gris.

Ma mère taquine.

— Qu'est-ce qui me vaut cette invitation ?

— Marie-France, même si je vous invitais tous les jours ça ne suffirait pas à vous remercier pour tout ce que vous faites pour moi.

— Tu me remercies déjà assez par ta présence, ton courage, ton intelligence... C'est un cadeau de t'avoir chez moi.

Mohammad baisse les yeux, prend une longue inspiration puis se lance. Il lui annonce sa décision d'abandonner son poste de serveur pour préparer le concours d'entrée à Sciences Po. Ma mère ne comprend pas. Elle tente de lui expliquer, en essayant de ne pas le blesser, à quel point c'est un pari risqué. Il n'a jamais fait d'études, ne parle pas bien le français, n'a plus dix-huit ans et a besoin de gagner sa vie. S'il échoue, ce qui semble assez inévitable, sa déception sera terrible. Il risque de replonger dans sa dépression.

— La plupart de ceux qui tentent ce genre de concours ont déjà fait des années d'études et sont souvent soutenus financièrement par leur famille. Je pense que c'est une très bonne chose d'avoir de l'ambition, mais il faut faire attention de ne pas viser trop haut, car on peut se brûler les ailes, et c'est très douloureux.

Il apprécie généralement ses conseils mais cette fois-ci, il n'est pas d'accord.

— Faites-moi confiance, je vais y arriver. Si je ne tente pas ça maintenant, je le regretterai toute ma vie.

— Je te fais entièrement confiance, mais je pense que tu ne devrais pas être aussi radical. Débrouille-toi pour continuer à travailler en même temps que tu entreprends ces démarches. Si ça ne marche pas, tu retomberas plus facilement sur tes pieds.

Elle marque un temps puis ajoute :

— N'oublie pas que tes parents comptent sur toi.

Mohammad la dévisage en silence. Elle lui sourit et lui prend la main.

— J'ai quelque chose à te proposer.

Dans les années soixante-dix, mes parents ont créé avec succès une marque de vêtements pour enfants. L'histoire d'une vie. Quand ils l'ont revendue, trente ans plus tard, ils avaient assez d'argent pour vivre aisément pour le restant de leurs jours. Ils auraient pu se retirer dans une maison au bord de la mer en Italie mais ont préféré se lancer un nouveau défi : monter un *concept store* d'un nouveau genre dont la totalité des bénéfices seraient redistribués aux enfants de Madagascar. Ce sont les femmes de cette île de l'océan Indien qui ont, pendant des décennies, confectionné les robes à smocks, pilier de la réussite de leur affaire précédente. Plaisir partagé de pouvoir rendre, à des années d'intervalle, ce qu'ils avaient reçu… Le succès a tout de suite été au rendez-vous. Peu de temps après, mon père est tombé malade. Ma mère n'a pas eu la force de continuer à gérer seule cette affaire devenue disproportionnée. Elle a passé la main, tout en continuant à déborder d'idées et de projets : une ligne de vêtements pour enfants pour une marque japonaise, un restaurant tapissé de chromos servant de la cuisine française traditionnelle, un grand magasin de décoration et bricolage haut de gamme (en hommage à mon père qui passait tous ses week-ends au sous-sol du BHV), une ligne de linge de maison et de vaisselle sur Internet, une agence de style combinant tous ses talents… Et puis un petit salon de thé, à côté de chez elle, a été à vendre. Elle l'a racheté, redécoré et baptisé Miss Marple. Elle propose à Mohammad d'en prendre la direction aux côtés de Martine, la sœur de mon père, avec qui elle s'est associée pour l'occasion.

— Bien sûr, la clientèle du quartier sera certainement moins excitante que celle de chez Merci, mais ce sera moins fatigant que de devoir traverser Paris tous les jours. Et puis tu auras une vraie responsabilité. Ça te plaît, comme idée ?

Mohammad acquiesce mollement. Il ne peut rien refuser à Marie-France. Elle a décidé de lui donner les commandes de son affaire. C'est un signe de confiance énorme. Il en a conscience. Il va falloir qu'il s'organise.

Ma mère est ravie. Elle est sûre qu'il est la personne parfaite pour cette nouvelle aventure. Et elle se dit que s'il y prend goût, son obsession des études finira peut-être par passer.

À la fin du repas, le serveur pose l'addition sur la table. Ma mère sort machinalement son porte-monnaie.

— Non, Marie-France, ce soir c'est moi qui vous invite.

Elle hésite, puis range sa carte bancaire.

Mohammad est assis dans un petit bureau face à une jeune femme. C'est Marguerite. Elle lui explique comment Wintegreat a été créé en 2015 par Théo et Eymeric, deux étudiants de l'ESCP, grande école de commerce parisienne, sensibilisés à la crise des réfugiés syriens. Refusant le misérabilisme ambiant, ils ont mis en place un programme d'intégration pour les nouveaux arrivants.

— Pour participer à ce programme, il faut être prêt à être ambitieux, il faut avoir envie de viser haut. Il faut avoir des rêves, un idéal que nous vous aiderons à formuler. L'objectif est de vous permettre de décoller du réel afin de ne pas vous contenter du premier petit boulot qui vous est proposé. La première année, nous avons eu des profils très variés, des médecins, des artistes, des journalistes, allant de dix-huit à quarante-six ans, certains, bac en poche, voulaient reprendre des études, d'autres, après quinze ans d'expérience dans leur pays, cherchaient à se reconnecter professionnellement en France.

Son téléphone portable, posé devant elle sur le bureau, se met à vibrer. Elle jette un regard rapide à l'écran, éteint l'appareil, puis revient à Mohammad.

— Désolée… Donc, tu vas commencer par remplir un questionnaire pour que nous puissions voir si tu réponds aux critères requis par l'association. Si c'est le cas, nous te convoquerons à un entretien pour évaluer ta motivation, ta disponibilité et ton niveau d'ambition.

— Je suis très motivé.

— C'est un bon début… Sache que notre programme dure quatre mois et que nous ne pouvons malheureusement accueillir que vingt-cinq participants par semestre.

Mohammad acquiesce.

— À la suite de l'entretien, si tu es sélectionné, tu auras un accompagnement très personnalisé. Nous te présenterons à un mentor avec qui tu définiras précisément ton projet, puis qui t'accompagnera tout au long du programme. Tu travailleras aussi avec un coach, lui-même étudiant, pour mettre en œuvre ce projet. Il sera à tes côtés et suivra les avancées de ton travail au jour le jour. Il pourra aussi t'aider dans tes démarches administratives, si tu as des doutes ou que tu rencontres des obstacles. Par contre, il faut que tu saches que même si tu entres dans notre programme, cela ne te donnera aucun passe-droit pour entrer à Sciences Po ou dans n'importe quelle autre école. Tu devras suivre la procédure classique, qui est très sélective.

Le téléphone de Marguerite vibre à nouveau. C'est une urgence. Elle s'excuse et sort dans le couloir.

Seulement une vingtaine d'élus sur des centaines de candidats. Et même s'il est sélectionné, le plus dur restera à accomplir. Il croit pourtant en sa bonne étoile. Il ne peut s'empêcher d'imaginer le jour où il décrochera son téléphone pour annoncer à sa mère, assise à la table de la cuisine de leur maison du quartier de Dasht-e Barchi, qu'il a été reçu à Sciences Po.

De retour dans la pièce, son interlocutrice, après s'être à nouveau excusée, lui remet le dossier. Elle le parcourt rapidement avec lui, puis l'encourage à le compléter tranquillement chez lui. Seul impératif : le renvoyer avant Noël. La liste des candidats sélectionnés sera annoncée la deuxième quinzaine de janvier et les entretiens commenceront dans la foulée. Elle lui souhaite de joyeuses fêtes et lui tend sa carte de visite.

À peine arrivé dans sa chambre, Mohammad s'installe à son bureau et remplit le document. Il le relit méticuleusement, le glisse dans une grande enveloppe et se rend à la poste la plus proche. Pas de temps à perdre.

Mohammad m'appelle pour m'annoncer qu'il a envoyé son dossier à Wintegreat et qu'il est allé, dans la foulée, déposer sa demande de nationalité française à la Préfecture.

— Plus rien ne peut m'arrêter.

— *Fingers crossed*. Alors, tu es impatient d'être français ?

— J'ai hâte d'être libre de mes mouvements. Tu sais, je ne me sens nulle part chez moi. En Iran, j'étais un étranger, traité comme un chien ; à Kaboul, j'étais rejeté parce que j'avais un accent iranien ; au Sri Lanka, je me cachais et n'avais aucun droit, et ici, je ne suis personne. On me regardera toujours comme un intrus, comme quelqu'un de différent. C'est ça, le plus dur. Je suis comme un enfant qui aurait perdu sa mère. Où que j'aille, je trouverai des gens bienveillants, des gens qui m'entourent, qui me donnent de l'affection, mais ça ne remplacera jamais ma mère. Tous ces voyages m'ont prouvé que je n'appartenais à aucun pays. Mon seul pays, c'est ma famille. Et je n'ai plus le droit de la voir.

Pour l'instant, Mohammad a un statut de réfugié politique pour une durée de dix ans. Il est considéré comme résident français, peut vivre et travailler dans ce pays, voyager dans l'espace de Schengen, mais ne peut pas retourner en Afghanistan. Cela fait quatre ans qu'il n'a pas vu ses parents.

Les conditions pour l'obtention de la nationalité sont claires. Il faut prouver qu'on a un logement, un travail, et qu'on parle français. Il a déjà passé le TCF, test de connaissance du français. Il a obtenu un B1. Suffisant pour être éligible. Rien ne s'oppose donc à l'acceptation de sa demande.

Il a réuni ses fiches de paie, rempli le formulaire qu'il a téléchargé sur le site du ministère, demandé à ma mère une attestation de logement ainsi qu'une quittance d'électricité, puis a pris rendez-vous à la Préfecture de police. Trois heures de queue avant de pouvoir déposer son dossier.

Il profitera de cette nouvelle nationalité pour changer de prénom. Il veut se faire appeler Med. Il souhaite que le début de son prénom disparaisse. Il tient à se débarrasser de ces quelques lettres qui représentent la souffrance, la religion, l'ignorance… Effacer le passé, se détacher de la première partie de sa vie, devenir une autre personne.

La première chose qu'il fera, quand il aura son nouveau passeport, sera de rendre visite à ses parents. Même s'il leur parle tous les quinze jours, ils continuent de lui manquer terriblement.

Je précise à Mohammad que s'il veut venir me voir aux États-Unis, découvrir New York, ville de ses rêves, s'envoler pour Tucson et sa forêt de cactus ou rendre visite à son ami Bagher qui a fini par obtenir son visa et conduit depuis six mois un taxi à Austin, Texas, il devra organiser ce voyage avant de retourner sur la terre de ses ancêtres. Une fois qu'il aura le tampon de l'immigration afghane sur son passeport, difficile de rentrer sur le territoire américain, surtout si Trump est toujours en place.

La fonctionnaire de police, après avoir enregistré sa demande, lui a annoncé qu'il aurait une réponse d'ici un à deux ans.

Il a le temps d'y réfléchir.

Soirée d'ouverture chez Miss Marple. Les amis de Marie-France sont là, accompagnés de quelques journalistes. Mohammad passe de convive en convive, en servant du vin et de fines tranches de cake aux olives. Tout le monde félicite ma mère pour ses talents de décoratrice. Moquette léopard, banquette profonde parsemée de coussins en velours colorés, chandeliers anciens, gravures d'animaux encadrées de noir, comptoir en marbre et nappes blanches.

Dès le lendemain, le lieu se remplit d'habitants du quartier, curieux, et de Parisiens branchés alertés par les premiers articles qui ont déjà fleuri sur Internet.

Très vite, Mohammad sent qu'il ne sera pas heureux dans cet endroit. Il décide pourtant de continuer à servir des scones, des œufs coque et des tartes salées en attendant la réponse de Wintegreat. Il fait le minimum syndical, s'enferme dans sa bulle et n'offre jamais d'heures supplémentaires, malgré son poste de responsable. Il se met rapidement à dos le reste de l'équipe, majoritairement féminine, avec qui il est désagréable et se comporte en macho autoritaire. Plusieurs d'entre elles se plaignent à ma mère qui découvre une nouvelle facette de la personnalité de Mohammad. Elle doit se rendre à l'évidence : il n'est pas fait pour ce poste. Son manque de perception d'autrui, son absence d'empathie passent pour de l'égoïsme. Marie-France comprend que c'est une souffrance pour lui. Il ne passe plus la voir le soir en rentrant, il refuse de plus en plus ses invitations au cinéma et s'enferme de nouveau dans le mutisme des premiers jours.

Elle a accueilli un jeune homme de vingt ans, lui a fourni un toit, un travail et lui a donné de son temps. Elle a placé beaucoup d'espoir en lui, et maintenant qu'elle lui propose de prendre de nouvelles responsabilités, de grimper les échelons dans son domaine, il n'est pas à la hauteur.

Elle le convoque pour lui faire part de sa déception.

— Ce poste est une opportunité exceptionnelle pour toi. Tu ne te rends pas compte à quel point c'est une chance de se retrouver responsable d'un salon de thé en seulement quelques semaines. Pour être très franche, je trouve que tu te comportes un peu comme un enfant gâté.

Il l'écoute en silence, attend la fin du savon et s'avance vers elle, les larmes aux yeux.

— *I need a hug* (J'ai besoin d'un câlin).

Ma mère le prend dans ses bras. Ils restent enlacés un moment.

— Je ne veux pas que vous soyez en colère contre moi, je n'ai que vous.

Mohammad ne sait pas encore s'il est sélectionné pour l'entretien mais décide de se préparer à cette éventualité. Il se met à regarder des *Ted Talk* sur YouTube, pour s'inspirer du mode de pensée et de la manière d'argumenter de personnalités du monde entier, spécialisées dans leurs domaines respectifs, qui partagent leur savoir et leur expérience dans des vidéos d'une quinzaine de minutes.

Il écrit sur une feuille de papier : « *One Ted Talk a day keeps you away from darkness* » (« Une "Ted Talk" par jour vous protège de l'obscurantisme ») et la colle au-dessus de son bureau.

Plus tard, lors d'un de mes passages à Paris, je tombe sur cette citation toujours accrochée au mur de sa chambre. Je lui raconte que ma fille Philomène, alors qu'elle n'avait que dix-sept ans, peu de temps après notre arrivée à New York, avait été invitée à présenter une *Ted Talk* pour parler d'un site qu'elle venait de créer consacré à des jeunes femmes artistes. Mohammad est impressionné. Nous nous installons devant l'écran de son ordinateur et regardons ensemble la prestation de ma fille qui, seule sur scène devant un parterre de trois cents personnes, parle, dans un anglais fluide, de l'inégalité entre les hommes et les femmes dans le monde de l'art :

« (…) C'est nous, les femmes et les hommes d'aujourd'hui, construisons le monde de demain. C'est nous qui avons le pouvoir de faire en sorte que notre avenir ressemble à ce que nous voulons en faire. Parce que les garçons de notre génération, par exemple, savent à quel point la diversité des points de vue est enrichissante, ils ont tout à fait conscience que le fait d'ignorer l'aspiration des femmes, qui représentent la moitié de la population mondiale, limite la compréhension et l'évolution de l'humanité dans tous les domaines. Mon site SPECIWOMEN est ma modeste contribution pour faire de mon futur, de notre futur, un endroit égalitaire et meilleur. Si nous prenons nos responsabilités et donnons tous un peu de nous-mêmes, les choses peuvent rapidement évoluer dans le bon sens. Et moi, citoyenne d'un pays occidental, où les femmes et les hommes possèdent les mêmes droits, et pour toutes les femmes qui n'ont pas ces droits, je pense que c'est un devoir de montrer à quel point nous sommes fortes, confiantes, intelligentes, ambitieuses, travailleuses et n'avons peur de rien. Nous ne lâcherons rien. Merci. »

Alors que résonnent en fond les applaudissements du public, Mohammad se tourne vers moi. Je sens dans son regard un mélange d'admiration et d'envie. Cette génération future qui va changer le monde, dont parle Philomène, il a bien l'intention d'en faire partie.

Pour les vacances de Noël, Mohammad rend visite à Morteza, un ami afghan installé en Suisse qu'il a rencontré pendant les années rap. Il était cameraman et réalisateur de clips. Il est ensuite parti dans le nord du pays faire un documentaire sur un chef de guerre taliban. Quelques jours après la fin du tournage, ce dernier a été assassiné. Morteza a tout de suite compris qu'il était en danger et a décidé de prendre la fuite. Mohammad, déjà au Sri Lanka à l'époque, lui a expliqué les démarches à suivre pour le rejoindre. Il l'a accueilli, avec sa femme et sa fille, à l'aéroport de Colombo. Il les a logés quelques semaines dans sa chambre minuscule, le temps qu'ils obtiennent un visa pour l'Europe.

Mohammad décide de faire le voyage en covoiturage, moyen le plus économique de se rendre à Berne. Il passe le trajet à discuter avec les trois autres passagers, un couple de Parisiens à la retraite et une étudiante qui rejoint son chéri helvète pour les fêtes.

Lorsque Mohammad arrive à destination, les deux anciens compères tombent dans les bras l'un de l'autre.

Ils ne se sont pas revus depuis Colombo et sont émus aux larmes. Ils passent les cinq jours suivants à se promener, discuter, rire et cuisiner. Quel plaisir de s'exprimer dans sa langue natale, avec quelqu'un qui partage le même passé et les mêmes codes que soi.

La nuit du jour de l'an, ils marchent dans la ville jusqu'à l'aube en buvant de la bière et en fumant des cigarettes. Feu d'artifice et immense sentiment de liberté.

Pour le retour, Mohammad trouve sur Internet un aller simple en avion à un prix discount. À l'arrivée à Roissy, il se présente à la douane. C'est la première fois qu'il est confronté à ce genre de situation depuis son arrivée en France, deux ans plus tôt. Il tend ses papiers avec anxiété. Le fonctionnaire de police jette un œil rapide à son titre de voyage et lui fait signe de passer. Il ne savait pas que franchir une frontière à l'aéroport pouvait être aussi simple.

Dans le RER qui le ramène vers Paris, Mohammad pense à cette nouvelle ère qui s'ouvre devant lui. 2017, année de tous les possibles. Il est optimiste. Même s'il a conscience des obstacles qu'il lui reste à franchir, il sent que l'horizon se dégage. Il a hâte de sortir de la solitude qui le ronge depuis des années.

Il doit impérativement réussir à entrer à l'université. Il rencontrera du monde, se fera des copains, tombera peut-être même amoureux.

S'il avait une petite amie, tout serait si différent. Quelqu'un avec qui partager ses joies et ses angoisses. Quelqu'un sur qui il pourrait compter et qui pourrait compter sur lui. Quelqu'un qu'il caresserait, embrasserait et avec qui il ferait l'amour... À vingt-trois ans, il est terriblement frustré sexuellement.

Un jour, il a abordé ce sujet avec ma mère. Il avait rencontré dans un bar une fille qui lui plaisait. Ils étaient allés ensemble à une fête puis s'étaient quittés en bas de chez elle. Ma mère l'avait encouragé à la rappeler, mais il n'osait pas. Il se sentait totalement démuni. Il ne savait pas comment s'y prendre. Il n'arrivait pas à communiquer avec elle. Il avait peur de ne pas être aussi drôle que dans sa langue natale, de ne pas réussir à être mystérieux, d'avoir l'air bête. Il avait l'impression de ne rien avoir à lui offrir. Et puis, il ne voulait pas prendre le risque d'échouer. Ce serait trop dur d'ajouter un chagrin d'amour à son mal-être actuel. Il ne se sentait pas en état de supporter ça.

Alors, il s'accroche à l'idée que, si un jour il réussit à faire de grandes études, cela lui donnera de la confiance, une stature, une légitimité. Il sera plus à l'aise pour aborder les autres, les filles en particulier. Il ne sera plus le réfugié dont tout le monde a pitié et qu'on prend sous son aile ou qu'on rejette. Il sera aimé de nouveau pour son intelligence, son humour, sa singularité, la complexité de sa personnalité et sa malice.

Marguerite appelle Mohammad pour lui annoncer que son dossier a été retenu. Il est sélectionné pour passer l'entretien. Elle lui explique la marche à suivre, le rassure – ça ne sera pas long – et lui conseille de se présenter dans sa tenue la plus élégante.

Il s'isole dans sa chambre et passe les deux jours suivants à méditer. Il n'a aucune idée de ce qui l'attend. Seule certitude, ils recherchent des personnes motivées. Il va essayer d'être le plus naturel possible, parler de sa passion pour la politique internationale et exposer clairement son projet : enter à Sciences Po.

Il réfléchit beaucoup, se parle à haute voix, imagine les questions, improvise les réponses. Il se sent de plus en plus à l'aise. Il ne laissera pas passer sa chance.

Après quarante-huit heures de réclusion, il ressent le besoin de partager son excitation, descend l'escalier en pierre de l'hôtel particulier et pénètre dans le salon. La pièce est plongée dans l'obscurité. Ma mère n'est pas là. Elle ne répond pas au téléphone. Il s'assoit dans le profond canapé en velours vert amande et compose le numéro de

Jawad. Même à huit mille cinq cents kilomètres de distance, il reste son confident le plus proche. Son ami le félicite, mais Mohammad sent une grande lassitude dans sa voix. Les Nations unies ne lui ont toujours pas donné de réponse. Comment ne pas devenir fou après trois ans passés à se cacher sur une plage du Sri Lanka, sans pouvoir travailler, n'ayant aucun droit, seulement la peur, la précarité et aucune certitude concernant son futur ?

Mohammad raccroche, s'enfonce dans les coussins moelleux et reste un moment immobile dans la pénombre. Il se sent impuissant. Il aimerait pouvoir aider son ami mais essaie déjà de sauver sa peau jour après jour.

Il entend la porte de la maison s'ouvrir. Le parquet de l'entrée grince. La lumière s'allume. Ma mère apparaît.

— Qu'est-ce que tu fais dans le noir ?

— Je t'attendais. J'ai eu la réponse. Je passe mon entretien pour la classe préparatoire dans deux jours.

— Waouh ! Bravo Mohammad.

Elle l'entraîne dans la cuisine, sort une bouteille de blanc du frigo et leur sert deux verres.

— À toi !

Mohammad la gratifie d'un large sourire et boit une longue gorgée de vin frais. Ma mère l'observe. Il a l'air si confiant tout à coup. Peut-être que cette idée d'entreprendre des études n'est pas si mauvaise, finalement. Elle se sent comme ces parents maladroits qui ne savent pas comment s'y prendre avec leurs enfants. Doit-elle lui proposer de l'aide ou le laisser se débrouiller ?

— Tu veux que je t'accompagne à l'entretien ?

Le visage de Mohammad s'éclaire.

— Ce serait formidable.

Elle se dit qu'elle va se comporter avec lui comme avec ses fils. Elle est là s'il a besoin d'elle mais elle ne lui imposera rien. Il a passé l'âge.

S'il entre à l'université, restera-t-il chez elle ? Cela lui rappelle le jour où mes frères et moi avons quitté le nid familial pour partir vivre nos vies. Elle se rappelle avoir été partagée entre le plaisir de voir ses enfants prendre leur envol et l'anxiété de ne plus être à leurs côtés pour les protéger.

— Je monte me coucher. Je veux être en forme pour les derniers préparatifs.

Mohammad finit son verre cul sec puis se lève.

— Il te faut un costume.

Le lendemain matin, ma mère entraîne Mohammad dans les boutiques de vêtements pour hommes de Saint-Germain-des-Prés. Ils choisissent ensemble un costume deux pièces bleu nuit.

— Tu es magnifique.

Le samedi 7 janvier, Mohammad se lève, prend une douche, enfile son costume et avale la tasse de café que ma mère lui a préparée. Les voilà partis. Direction République.

À 11 h 15, Mohammad entre dans une autre dimension. Il pénètre avec ma mère dans le hall d'un impressionnant bâtiment de la fin du XIXᵉ siècle et traverse un couloir majestueux dans lequel des étudiants discutent par petits groupes. Ils rejoignent ensuite les autres candidats assis sur les bancs en bois de la grande bibliothèque. Ma mère essaie de glaner quelques informations auprès des professeurs présents dans la salle. On la rassure. Mohammad sera auditionné bientôt. Elle lui souhaite bonne chance et disparaît.

Il passe en revue les personnes alignées à ses côtés, conscient que seules vingt d'entre elles seront reçues.

Une demi-heure plus tard, on appelle son nom.

Il se retrouve assis face à trois personnes. Un homme jeune, un chauve à lunettes et une femme âgée, qui prend la parole.

— Vous préférez vous exprimer en français ou en anglais ?

— Je suis plus à l'aise en anglais, si vous n'y voyez pas d'inconvénient.

— Aucun.

— Je dois vous avouer que je suis extrêmement stressé. Cela m'a pris beaucoup de temps pour arriver jusqu'à vous. Cet entretien est crucial pour le reste de ma vie et pour l'avenir de l'Afghanistan. Je vais peut-être bafouiller par moments, je m'en excuse par avance.

L'homme au crâne dégarni, la cinquantaine, le rassure d'une voix douce.

— Détendez-vous, tout va bien se passer. Nous sommes là pour vous.

Mohammad prend une longue inspiration et commence à lire des notes sur son ordinateur. Il décrit son parcours.

— Je vous raconte mon histoire dans les grandes lignes, mais si ça vous intéresse d'en savoir plus, un livre sur moi sera publié l'année prochaine chez Flammarion.

Les trois échangent des regards amusés.

Mohammad prend confiance et se met à improviser. Il leur confie qu'il est passionné de politique internationale et de musique. Il explique que même s'il ne fait peut-être plus de rap dans le futur, la culture hip-hop restera toujours ancrée en lui, comme un contrepoint, une contre-culture qui permet de relativiser et de remettre en question une certaine vision de la société.

— Je ne suis sûr de rien. Je suis là pour apprendre.

— Vous avez écrit dans votre questionnaire que vous aimeriez intégrer Sciences Po, et plus précisément le campus du Havre orienté sur l'Asie. Pourquoi pas celui de Menton qui s'intéresse particulièrement aux enjeux politiques, économiques et sociaux des pays du pourtour méditerranéen, du Moyen-Orient et du Golfe ?

— Je n'ai rien contre le monde arabe, mais je suis athée. Je crois en la science et en l'intelligence. Je voudrais aller au Havre pour étudier les relations politiques avec l'Asie, la Chine, le Japon, la Corée du Sud... Les pays arabes ont du pétrole, mais les pays asiatiques ont la connaissance. C'est ça qui m'intéresse.

L'entretien devait initialement durer une demi-heure, on le libère au bout de quinze minutes. Mohammad est décontenancé. Est-ce un bon ou un mauvais présage ?

— Pouvez-vous me dire si j'ai une chance d'être sélectionné ?

— On vous contactera dans les meilleurs délais.

Il salue son auditoire et s'apprête à sortir, quand le jeune professeur lui dit « au revoir » en dari.

— Vous voyez, c'est pour ça que j'aimerais étudier à vos côtés, vous parlez tous au moins dix langues.

Ma mère rentre chez elle après une longue journée de travail. La maison est silencieuse. Elle monte les escaliers, frappe à la porte de la chambre de Mohammad, pas de réponse. Elle insiste. En vain. Elle ouvre. La pièce est vide. Plus aucun signe de vie. Son sang se glace. Elle balaie la chambre du regard à la recherche d'un mot, d'une note, n'importe quelle explication. Rien. Elle redescend. Inspecte la cuisine, le salon, la salle à manger. Toujours rien. Dans la salle de bains, elle découvre sa boîte à bijoux vide. Elle s'assoit sur le bord de la baignoire et se met à pleurer. Elle trouve finalement une lettre sur son bureau. Mohammad lui explique qu'il a dû partir précipitamment. Sa mère et son frère l'ont contacté depuis l'Angleterre où ils viennent enfin d'arriver et lui ont demandé de les rejoindre au plus vite…

Ma mère se réveille. Il fait encore nuit dans le jardin. C'est la première fois qu'elle fait ce rêve.

Mohammad était censé rester un an chez elle. Cela fait bientôt dix-huit mois. Elle s'est habituée à lui et n'a pas envie qu'il s'en aille. Elle sait qu'il finira par partir

253

mais ces études qu'il a décidé d'entreprendre semblent accélérer le mouvement. Sa présence à la fois discrète et bienveillante, leurs séances de cinéma du dimanche, les discussions dans la cuisine en buvant un verre de rouge, les week-ends à Recloses, les dîners en tête à tête dans les restaurants du quartier, sa gentillesse. Elle se souvient du jour de son anniversaire, quand il lui a offert un bouquet de fleurs « plus que ravissant ». Il était chic, avec une veste et un pantalon coupé « juste à la bonne hauteur ». Il lui a dit qu'elle était son guide, sa bonne fée. Elle adore discuter avec lui. Que fera-t-elle quand il ne sera plus là ? Elle sait qu'elle ne reviendra pas en arrière. Cette chambre ne restera pas inoccupée. Accueillera-t-elle un autre jeune homme ? Une femme ? Des enfants ? Une famille complète ? Elle préfère ne pas y penser pour l'instant et profiter de la présence de Mohammad.

Jeune cinéaste, j'ai eu la chance d'être entouré de grands cinéphiles, espèce en voie de disparition. Ils étaient mes aînés, m'ont inspiré, conseillé, soutenu. Ils s'appelaient François, Claude, Bruno ou encore Jean. Jeannot pour les intimes. Je viens d'apprendre son décès par Laurence, sa femme, mon amie, et je décide de rentrer à Paris pour ses funérailles.

Nous avions déjeuné ensemble le mois dernier. Il râlait, comme d'habitude, se plaignait d'être trop vieux, de plus en plus fatigué, mais continuait à visionner plusieurs films quotidiennement.

— Je sors de la projo de *Nocturnal Animals*, le nouveau Tom Ford. C'est une tuerie. Fais confiance à papa ! Celui-là, tu ne peux pas le rater. Rien que pour le générique de début, t'es content d'avoir payé ton billet.

Une semaine plus tard, il est entré à l'hôpital pour quelques examens de routine. Il n'est jamais ressorti.

Laurence et lui étaient venus nous voir à New York l'automne dernier. Jean était comme un môme, fasciné par la dégaine des personnes que l'on croisait dans la rue, la taille des steaks, la couleur des bocaux de piments mexicains en vitrine des épiceries, l'heure tardive d'ouverture des magasins, le goût de la bière IPA *made in Brooklyn*, notre nouvelle vie... Et puis nous passions beaucoup de temps à regarder des DVD sur un écran installé dans le sous-sol de la maison. Bien sûr, il les avait tous vus, ces films, mais prenait un plaisir non dissimulé à nous les faire découvrir. Un vendredi après-midi, alors que nous entamions le visionnage d'un Lubitsch de la période allemande, nos téléphones portables se sont mis à sonner à l'unisson. Nous avons immédiatement interrompu la projection, et nous sommes installés devant la télévision. CNN diffusait les premières images de la prise d'otages du Bataclan. Abasourdis, nous étions à la fois frustrés de ne pas pouvoir partager ce terrible moment avec nos familles respectives et heureux d'être ensemble pour se soutenir mutuellement.

Je repense à tout cela en marchant dans le froid et l'humidité, sur le parvis du crématorium de ce cimetière du nord parisien où mon père a été incinéré six ans plus tôt.

Je profite de mon passage à Paris pour passer à la banque négocier un emprunt. La vie à New York s'avère plus chère que prévu. Le banquier me demande des nouvelles de ma mère. Nous nous connaissons depuis longtemps. Cela fait des années qu'il s'occupe des finances de la famille. Je lui raconte l'arrivée de Mohammad à la Motte-Picquet. Il n'en revient pas.

— Votre mère est une femme étonnante.

Au ton de sa voix, on pourrait croire qu'elle vient de sauver l'Afrique de la famine ou de trouver un remède au réchauffement climatique. Cet homme gère les plus grandes fortunes de France et l'on sent que c'est la première fois qu'il entend parler d'un de ses clients qui accueille quelqu'un chez lui.

À peine sorti du rendez-vous, mon téléphone portable vibre dans la poche de ma veste. L'écran affiche «Mohammad». Je décroche.

— C'est bon, je suis reçu.

— Fantastique! Tu as appris ça quand?

— À l'instant. Je viens de recevoir un mail. Les cours commencent la semaine prochaine, et j'ai la possibilité de présenter le concours de Sciences Po dans six mois.

— Tu as prévenu ma mère?

— Bien sûr. Elle est folle de joie.

Je lui propose de fêter ça sans plus attendre et saute dans un taxi.

Le chauffeur écoute la radio. Retransmission en direct de la cérémonie d'investiture de Donald Trump. Le volume est trop fort. Les bribes de discours que j'entends me donnent la nausée.

Mohammad m'attend devant le restaurant où nous avons rendez-vous. Une institution de la cuisine française. Je le serre un moment dans mes bras et nous entrons nous installer au chaud sur des banquettes en cuir rouge. Nous passons commande. Pâté de campagne, soufflé au fromage et chateaubriand au poivre. Nous avons des choses à célébrer, des choses à oublier.

— C'est aujourd'hui, son investiture ?

— Oui, il va prêter serment au Capitole, serrer la main d'Obama qui montera ensuite avec Michelle dans un hélicoptère, et Trump se retrouvera seul à la Maison-Blanche. C'est effrayant.

— Aujourd'hui, c'est aussi le jour où j'ai appris que je vais entrer dans une grande université pour préparer Sciences Po.

Nous trinquons.

— J'ai toujours voulu faire des études, apprendre, observer, mais je n'en ai jamais eu l'occasion. Je veux rencontrer le plus possible de professeurs, d'intellectuels. J'ai un appétit sans limites de connaissances. J'essaie de me reconstruire en découvrant qui je suis. Et c'est la première fois que je vais pouvoir me concentrer à 100 % là-dessus.

— Ce serait formidable d'imaginer, comme un fantasme, une utopie, qu'on a le pire maintenant et que toi, en entrant à Sciences Po, tu es le futur. Tu devrais prendre du chutney avec ton pâté, c'est délicieux.

— La seule chose qui me maintient en vie, c'est d'apprendre. Je sais que les six prochains mois seront décisifs. Je vais avoir beaucoup de travail. Ça va être très dur, mais si c'était facile, tout le monde le ferait.

— C'est le plus gros défi de ta vie. Probablement pas le plus difficile, avec tout ce que tu as traversé, mais certainement le plus excitant. Je suis heureux pour toi.

— J'aime qu'on se réjouisse pour moi. Tu sais, je n'ai pas beaucoup de monde avec qui partager ce genre de nouvelles, les bonnes comme les mauvaises d'ailleurs. Bien sûr je parle avec mes amis et ma famille par Skype, mais ce n'est pas pareil.

— Tu les as prévenus ?

— Ma sœur aînée était en larmes.

— Ils savaient que tu passais cet entretien.

— Évidement. Déjà à Kaboul, je disais que je voulais faire Sciences Po, mais tout le monde me prenait pour un fou. Il n'y avait aucune chance que ça arrive un jour.

— Les gens connaissent Sciences Po à Kaboul ?

— Bien sûr ! C'est comme Oxford ou Harvard. J'en ai rêvé toutes les nuits pendant des années. Je n'ai plus le choix, il faut que je réussisse.

— Tu veux un autre verre de vin ?

Il acquiesce. Je nous sers généreusement.

— Cela nécessite tellement de motivation, d'endurance et surtout de confiance en soi. Et puis, il faut rencontrer les bonnes personnes au bon moment. Ça aussi, ça se provoque, ça ne tombe pas du ciel. J'ai failli abandonner tellement de fois. Ce sont des gens comme ta mère qui m'ont donné la force de tenir, d'y arriver.

— Attention, tu n'y es pas encore. Il va falloir que tu travailles dur pour réussir ce concours.

— Je sais, je sais. Mais c'est déjà une étape énorme, ce programme.

On lève nos verres à nouveau.

— Si tu penses à toi dans dix ans, tu te vois où ?

— Dans dix ans, j'aurai étudié dans plusieurs très bonnes universités, en France et à l'étranger. J'aurai accumulé beaucoup de connaissances sur la société, la politique, la sociologie... Ensuite, je retournerai en Afghanistan. Je veux aider les gens là-bas. Leur ouvrir les yeux. La plupart n'ont aucune chance de s'en sortir. Beaucoup d'entre eux vont mourir. Les explosions, les assassinats, le terrorisme, les guerres... Et ceux qui restent n'ont pas d'avenir. Ils n'ont pas la moindre idée de ce qu'est le monde en dehors de l'Afghanistan. Il y a plusieurs façons de les aider, mais il faut que ça vienne de l'intérieur. Le principal obstacle, c'est la religion. C'est le nœud du problème.

Il me confie à voix basse qu'il compte agir en sous-marin. Il veut s'approcher au plus près du pouvoir et réussir à changer les mentalités sans que les autorités s'en aperçoivent. Il faut trouver un moyen d'introduire le doute dans les nouvelles générations, qu'elles n'acceptent plus tout ce qui leur est inculqué sans réfléchir. Son but est d'étudier assez pour être capable d'inventer un moyen de semer ce doute, comme une graine dans la tête de tous ces jeunes, qui sinon sont condamnés à vivre dans l'ignorance, ou à mourir. Il veut retourner là-bas et s'introduire dans la sphère dirigeante. Il rêve d'entrer au ministère de l'Éducation et d'avoir accès aux manuels scolaires. C'est là qu'il faut agir. Modifier, subrepticement, le contenu des livres d'école. Il est essentiel d'apprendre aux enfants dès leur plus jeune âge à réfléchir différemment, à penser par eux-mêmes, et non à suivre d'obscurs préceptes sans jamais rien questionner.

— Je mourrai certainement avant de voir le résultat de ce que j'aurai semé, mais je pourrai partir en paix.

— Les autorités religieuses ne te laisseront jamais faire ça.

— Il faudra être très prudent. Bien sûr, je me ferai passer pour un bon musulman, je ne vais pas leur avouer que je suis athée, je ne suis pas fou. Pour l'instant, ce n'est qu'une vision, une utopie. Je n'ai pas encore de plan. Mais si tu reviens au pays avec des diplômes, le gouvernement a besoin de toi. Rares sont ceux qui ont un bon niveau d'éducation. La plupart des leaders de ce pays sont des chefs de guerre. Ils sont au sommet de l'État grâce à leurs victoires, pas grâce à leur programme politique ou leur vision pour le pays. Il faut connaître les bonnes personnes. Par exemple, moi je suis hazara et certains membres du gouvernement sont de la même ethnie. C'est eux que j'irai voir. Ils manquent de gens comme moi. Il faut que quelqu'un s'en occupe. Il faut apprendre à la nouvelle génération à douter de l'existence de Dieu. Ils sont complètement coincés par la religion, ils ne peuvent rien faire, ils ne peuvent pas penser, la propagande verrouille leur cerveau et leur cœur. Je le sais parce que j'étais comme eux, il n'y a pas si longtemps. Il faut leur expliquer que Dieu ne contrôle pas tout, c'est à nous de prendre nos vies en main. Une fois qu'ils auront compris ça, libre à eux de pratiquer n'importe quelle religion, mais au moins, ils auront eu le choix.

À chaque nouveau verre de vin, nous trinquons en répétant : « À l'avenir ! », sorte de mantra que nous partageons depuis la première fois que nous avons bu ensemble.

— La seule chose qui peut sauver le monde, c'est l'éducation. La plupart des guerres sont menées par des gens qui n'ont aucune éducation. Quand il y a des guerres, il n'y a plus de sécurité, sans sécurité pas d'argent, sans argent pas d'éducation et sans éducation, de nouvelles guerres. C'est un cercle vicieux. Quand ton seul but dans la vie est de survivre, l'éducation devient un luxe et non une priorité.

Il hausse les épaules.

— Heureusement qu'il y a des personnes comme ta mère. Je vais m'appliquer à transmettre l'amour qu'elle m'a donné.

— Tu as la vie devant toi.

Le serveur nous apporte des crêpes Suzette qu'il flambe devant nous. Je croise le regard de Mohammad. Je sens dans ses yeux brillants les effets de l'alcool, la joie de partager ce moment avec moi, et surtout la fierté du chemin accompli.

Six mois plus tard.

C'est l'été. Je viens de passer quelques semaines en Europe et m'apprête à rentrer chez moi à Brooklyn. Je suis seul dans la cuisine, une tartine à la main. La radio est allumée. Un journaliste annonce d'une voix neutre qu'un navire financé par les partis d'extrême droite européens sillonne la Méditerranée pour repousser les bateaux de migrants qui essaient d'atteindre les côtes italiennes.

Ma mère descend l'escalier et vient s'installer en face de moi. Elle se sert une tasse de thé.

— Tu vas chercher la camionnette ?

Ce mardi 22 août n'est pas un jour comme les autres. Mohammad quitte la maison. Il a été accepté à Sciences Po et part s'installer sur le campus du Havre.

Au début, ils étaient une vingtaine, sélectionnés par Wintegreat. Chacun s'est vu attribuer un coach et un mentor pour le guider dans son projet. Lors d'une soirée arrosée au champagne, on a présenté David et Antoine à Mohammad. Ce sont eux qui l'aideront à établir son CV, remplir les dossiers, choisir son orientation, s'entraîner aux entretiens… Le premier, un ancien élève de Sciences Po, veut, en donnant un peu de son temps, rendre hommage à l'accueil que la France avait réservé à son père marocain à la fin des années 50 et défendre l'idée que cette générosité était encore possible. Le second, en dernière année d'études de commerce à l'ESCP, issu d'une famille bourgeoise, a été sensibilisé par des amis sur le sort des migrants et cherche une manière de se rendre utile. Très vite, ils ont compris que Mohammad avait un fort potentiel et ont accéléré le mouvement. Pendant quatre mois, ils se sont retrouvés tous les trois plusieurs fois par semaine pour élaborer la stratégie la plus efficace.

Pour fêter son intégration, Mohammad a demandé à ma mère d'organiser un dîner chez elle afin de remercier tous ceux qui l'ont soutenu depuis son arrivée en France.

Nous nous sommes retrouvés autour d'une grande table dressée dans le jardin. Il y avait Catherine, la bénévole de Singa, Sylvie, la restauratrice de chez Merci, Laurence, l'amie dentiste, Bernard, le producteur-professeur de français, ma tante Martine, Marguerite, l'interlocutrice de Mohammad à Wintegreat, Antoine, son coach, David, son mentor, Marie-Hélène, qui, pendant un an et demi, a repassé ses chemises, et sa fille Jessica, qui a travaillé avec lui chez Miss Marple. Mohammad a tenu à prendre une photo du groupe qu'il a aussitôt envoyée aux deux Marc, ses anges gardiens de Colombo et de Sarrebourg. Émouvant de voir toutes ces personnes issues de milieux différents, pour la plupart ne se connaissant pas avant cette soirée, réunies autour d'un garçon qui, un an et demi plus tôt, dormait encore dans la rue et qui s'apprête, grâce à cette chaîne de solidarité, à intégrer une des écoles les plus prestigieuses du monde.

Mohammad nous a rejoints dans la cuisine. Il se prépare un café allongé.

— Le jour de l'annonce des résultats, j'avais mis le costume que tu m'as offert. Les gens étaient très impressionnés. Le directeur de l'école nous a dit qu'il y avait parmi nous des futurs présidents et ministres. C'était magnifique !

Ma mère lui tape dans la main pour le féliciter.

— C'est mon dernier petit déjeuner dans cette maison. Je suis rentré ici comme un homme mort, je ressors en vie.

— Tu peux revenir quand tu veux. Quand mes enfants sont partis de la maison, ils ont gardé leurs chambres. Pour toi, c'est pareil.

C'est la première fois que je l'entends lui parler comme à son propre fils.

Après le petit déjeuner, Adeeb, un ami afghan de Mohammad, nous rejoint. Pendant qu'ils commencent tous les deux à regrouper des affaires dans le hall d'entrée, je pars récupérer la camionnette chez le loueur. La dernière fois, c'était un an plus tôt, pour l'installation de ma fille dans son université américaine. Je pensais que le prochain sur la liste serait mon fils. Il s'agissait à l'époque de quelques sacs de vêtements, cartons de livres et d'une étagère. Cette fois-ci, c'est un vrai déménagement. Un canapé, deux fauteuils, un lit, un réfrigérateur, une télévision… Il avait été question, dans un premier temps, d'un studio meublé. Nous avions passé une journée avec Mohammad à téléphoner aux différentes agences immobilières du Havre. Avec un budget de 400 euros par mois, les surfaces disponibles se situaient entre 20 et 25 mètres carrés. J'expliquais au téléphone que c'était pour un étudiant de Sciences Po et que ma mère se porterait garante. Mes interlocuteurs étaient charmants, bons vendeurs, jusqu'au moment où j'annonçais le prénom du locataire : Mohammad. Le ton changeait.

— Vous savez, il y a beaucoup de visites, d'ici là le bien sera probablement déjà loué.

Moi, blanc, Français, je n'avais jamais été confronté à une expression aussi flagrante et écœurante de racisme.

Finalement, nous avons quand même réussi à caler cinq rendez-vous pour la semaine suivante. J'étais en vacances à ce moment-là et ne pouvais pas accompagner Mohammad, c'est ma mère qui a effectué le voyage avec lui, bien consciente que la réaction des propriétaires serait différente si elle se trouvait à ses côtés. Elle avait pour l'occasion soigné sa tenue et chaussé ses mules Gucci.

Très vite elle a décrété que les studios que nous avions sélectionnés étaient trop petits, trop sombres, trop déprimants, et jeté son dévolu sur un « magnifique petit immeuble », à deux pas du campus, dans lequel un appartement de 50 mètres carrés était à louer à peine plus cher que les précédents. Seul hic, il était vide. Elle a proposé à Mohammad de payer les 40 euros mensuels de différence et de lui fournir les meubles nécessaires. Ce dernier ne s'est fait pas prier, passant d'un coup de baguette magique d'un studio canapé-lit à un deux-pièces élégamment agencé. Le projet initial de glisser quelques valises dans le coffre de la voiture de mon père et de partir tous les trois, cheveux au vent, en direction de la Normandie n'était plus d'actualité. Il fallait organiser un vrai déménagement et demander du renfort.

Mon fils Aurélio se joint à nous et nous commençons à charger les meubles avec Mohammad et Adeeb. Ma mère, qui s'est réveillée avec de la fièvre et un mal de gorge carabiné, fait quelques inhalations dans la cuisine en attendant le départ. Une fois la camionnette remplie à ras bord, Mohammad s'installe sur la banquette avant, entre ma mère et moi, et nous prenons la route pour Le Havre. Porte Maillot, alors que nous sommes arrêtés à un feu rouge, un homme au visage tanné par le soleil s'approche de la camionnette. Il tient devant lui une pancarte en carton sur laquelle est maladroitement écrit : « Famille syrienne ». Je plonge la main dans ma poche et lui tends un euro. Au moment de redémarrer, je croise le regard de Mohammad.

— Cet homme, c'est moi. Chaque fois que je vois quelqu'un comme lui, je me vois. Je n'ai jamais mendié, mais j'étais dans la rue comme eux. Je sais exactement ce qu'ils ressentent. Je me souviens de la faim, de la peur, de l'humiliation et du désespoir.

Nous nous engageons sur l'autoroute. Ma mère s'est endormie contre la vitre. Je me tourne vers Mohammad.

— Qu'est-ce que tu as pensé la première fois que je t'ai proposé de raconter ton histoire ?

— Sincèrement, je suis obligé d'être honnête avec toi car tu es devenu mon ami, à ce moment-là, je me disais que tu serais comme tous ceux qui m'avaient fait des promesses dans le passé, *full of shit*, comme on dit chez toi, bidon. Je pensais que ça n'aboutirait jamais à rien. Il est exotique, le réfugié de ma mère. Ça pourrait faire un bon sujet pour un petit récit, et boom, une autre idée arrive et on abandonne le pauvre type au bord de la route. Voilà ce que je me suis dit. La plupart des personnes qui ont voulu m'aider ne pensaient pas vraiment à moi, elles pensaient à leur connexion avec ta mère. Elles voulaient aider «le migrant de Marie-France». J'ai été confronté à des choses très dures dans la vie, j'ai rencontré tellement d'obstacles, il me faut encore du temps pour recoller toutes les pièces du puzzle. Je ne connais pas grand-chose du monde qui m'entoure. Alors c'est vrai que j'ai encore du mal à accorder ma confiance. Donc je ne voulais pas trop y croire, même si tu étais le fils de Marie-France, la seule personne sur qui je pouvais compter à ce moment-là... Maintenant, vous êtes deux.

Nous roulons en silence. Dépassons Poissy, Mantes-la-Jolie, Rouen, Honfleur... Mohammad fixe l'horizon à travers le pare-brise. Il sourit en repensant à ce passage du livre qui a changé son existence : *« Vous n'êtes pas condamnés à cette vie-là. Vous pouvez poursuivre le rêve d'une meilleure éducation, dans n'importe quel domaine, dans les plus grandes universités du monde. »* C'était il y a un siècle.

Je gare la camionnette devant le «magnifique petit immeuble» et nous commençons à décharger les cartons pendant que ma mère signe le bail avec la propriétaire qui, d'un œil distrait, vérifie que nous n'abîmons pas la peinture neuve de la cage d'escalier en montant les trois étages qui nous séparent de l'appartement. Cette femme, habituée à des locataires étudiants, semble très surprise par la qualité des meubles que nous installons dans les deux grandes pièces inondées de soleil. Canapé en velours marron, tableaux anciens, lampes cuivrées avec abat-jour Art déco, écran plasma géant et tapis d'Orient. Elle semble à la fois intriguée et rassurée. Une fois la signature des documents terminée, elle remet une clef à Mohammad et disparaît. Je passe l'heure suivante à essayer de faire rétablir le gaz, l'eau et l'électricité pendant que ma mère s'applique à fixer au mur les tableaux à l'aide de son mètre mesureur. Rien ne doit être laissé au hasard.

Mohammad essaie d'intervenir dans le choix de l'agencement des lieux, mais ma mère ne lâche rien.

— Laisse faire maman.

Je croise le regard amusé d'Adeeb qui, depuis le début de la journée, est abasourdi par le spectacle auquel il assiste. Depuis le premier acte, dans l'hôtel particulier des Invalides, jusqu'à la scène finale, dans cet appartement spacieux du centre du Havre, en passant par les meubles luxueux du décor qu'il a transportés toute la journée et la personnalité de ma mère, actrice principale, à la fois autoritaire et protectrice. Dépaysement total pour un garçon qui habite seul depuis son arrivée à Paris dans un minuscule studio du vingtième arrondissement.

Une fois les derniers détails réglés, ma mère se laisse tomber dans le canapé pour admirer son œuvre. Elle lui a prêté un peu de sa vie, lui a passé son bon goût français, l'a installé comme un fils. Son appartement ressemble à celui d'un héritier de bonne famille.

— Tu vas être la star du campus.

Mohammad est ravi.

Il est temps de partir. Nous nous étreignons longuement. Je remarque une larme au coin de l'œil de Mohammad qui nous fait de grands signes par la fenêtre pendant que notre camionnette s'éloigne.

Je propose à ma mère quelques fruits de mer avant de regagner Paris. Ravie de cette perspective, malgré son rhume, elle me guide sur les routes normandes jusqu'au port de Trouville-sur-Mer.

Nous nous installons en terrasse, commandons une douzaine d'huîtres et une bouteille de vin blanc. La chaleur de la journée retombe doucement.

— Finalement, c'est le seul à avoir été accepté dans une grande école. Heureusement qu'il est là pour relever le niveau.

Ni moi, le cinéaste, ni Julien et sa multitude de restaurants branchés, ni Thomas avec sa ligne de vêtements pour enfants à succès n'avons suivi ce genre d'études.

Ma mère, émue, hausse les épaules en souriant.

Nous levons notre verre à l'avenir de Mohammad.

Quelques jours plus tard, j'envoie un mail à Mohammad pour prendre de ses nouvelles. Alors, ce nouvel appartement ? L'électricité et l'eau ont-elles été rétablies ? Comment s'est passée sa première journée d'école ?

Il me répond :

Benoit,

Je n'arrive pas à croire que tout cela est réel. Je passe mon temps à me féliciter moi-même.

Hier, les professeurs et le personnel du campus se sont présentés à nous en nous encourageant à donner le meilleur de nous-mêmes. Le directeur de l'école a conclu son discours en disant : "Travaillez dur mais n'oubliez pas de faire la fête", j'en avais les larmes aux yeux. Je ne pensais pas qu'un tel endroit pouvait exister... Ensuite, nous sommes partis tous ensemble à Étretat. C'était magnifique. Nous avons bu jusque tard dans la soirée en regardant le soleil se coucher sur les falaises.

Les critères d'entrée dans cette école sont tellement sélectifs que j'ai l'impression de n'être entouré que de génies. Qu'est-ce que je fais là ?

Cheers,

Med

ÉPILOGUE

La famille est réunie au salon. Des bougies éclairent la pièce. Le feu crépite dans la cheminée. Sur la table basse recouverte d'une nappe rouge, coupes de champagne, toasts de foie gras, canapés de tarama et amandes grillées composent un apéritif de fête. Une montagne de cadeaux s'entasse sous un sapin haut de trois mètres et croulant sous les guirlandes lumineuses. Les enfants s'impatientent, ouvrent leurs paquets deux par deux. Med reçoit un col roulé en laine noire, une chemise col Mao, des gants en cuir et une casquette estampillée 75007 en lettres blanches. Il sourit, remercie, s'excuse, n'a rien prévu, ne savait pas. C'est son premier Noël.

Ses examens se sont terminés la veille. Il est rentré à Paris dans la foulée et s'est installé dans sa chambre à l'étage le temps des vacances. Éléonore et moi avons trouvé une solution de repli dans un hôtel du quartier. Pas désagréable de jouer les touristes dans sa propre ville.

Il me raconte Sciences Po. Les étudiants qui l'entourent ont pour la plupart déjà des années d'études

273

derrière eux. Med a passé son enfance à potasser le Coran et quitté l'école à seize ans. Il n'a ni le baccalauréat ni les méthodes de travail que ses camarades ont acquises en classe préparatoire. On lui demande de lire plusieurs centaines de pages par jour, de les analyser et de rédiger des dissertations. Il ne sait absolument pas par où commencer. Par crainte de se marginaliser, il a caché ses lacunes à son entourage. Ses premières notes ont été catastrophiques. Le doute l'a envahi. Il a pensé tout arrêter. Lors d'un passage à Paris pour les vacances de la Toussaint, il a confié son découragement à ma mère. Elle lui a remonté le moral, l'exhortant à prévenir ses professeurs de sa situation, à ne plus cacher son passé et à assumer ses faiblesses. Tant pis si les autres élèves ne le considéraient plus comme leur égal. Ce serait pour plus tard. Dès son retour sur le campus, il a pris rendez-vous avec le directeur qui lui a promis une attention particulière. Il s'est senti moins seul et a retrouvé sa motivation.

Un an a passé depuis ma rencontre avec Med. Je ne parle pas des quelques fois où nous nous sommes croisés en coup de vent dans les couloirs de chez ma mère, mais du moment où il a décidé de me livrer son histoire. Une histoire qu'il n'avait jamais racontée à personne et qui maintenant sera sue. Une histoire qui fait écho à ma propre conquête de l'Ouest et qui m'a permis de comprendre un peu mieux comment, en s'éloignant des siens, on peut se réinventer. Une histoire qui a fait de nous des amis. Une histoire méconnue de celle qui a passé deux ans à ses côtés. C'est grâce à ma mère que j'ai rencontré Med. À mon tour de le lui présenter.

Dehors il pleut. Je suis assis au fond d'un café de la Bastille. Un barman, sec et nerveux, se dispute avec un homme au teint mat et aux cheveux noirs, vêtu d'un tablier bleu. À court d'arguments, le type derrière le comptoir lance : « Ça te fait quoi de passer ta vie à éplucher des patates et nettoyer la merde des autres ? » Le plongeur disparaît dans la cuisine sans un mot. Je pense à Med et à tous ces réfugiés politiques, ces exilés, ces sans-papiers, ces apatrides, ces migrants à la dérive, ces milliers d'êtres humains pourchassés, stigmatisés, exploités, mis en esclavage, rançonnés, rejetés, qui n'ont pas eu sa chance, si ce n'est sa force, ou son intelligence.

Demain je rentrerai chez moi de l'autre côté de l'Atlantique. Ce sera bientôt le premier anniversaire de l'accession au pouvoir de Donald Trump. Du temps a passé mais la plaie est toujours vive. Chaque jour un nouvel amendement, une nouvelle provocation, un nouveau tweet, une nouvelle incitation à la haine. Le milliardaire mégalomane démantèle méthodiquement l'Amérique sous les yeux effarés du monde entier. Avant de quitter New York le mois dernier, j'ai assisté à une conférence donnée par Jodie Foster sur la place des femmes à Hollywood. À la spectatrice qui lui a demandé son sentiment sur le nouveau président elle a répondu : « Pour ne pas pleurer, je pense à ma fille qui apprend à résister. » Seule façon de ne pas désespérer.

Résister. Chacun à son niveau. C'est précisément ce que j'ai ressenti ce matin de décembre où, après avoir reçu un uppercut électoral, je me suis retrouvé dans la cuisine face à ma mère et Mohammad.

LES ASSOCIATIONS

SINGA
Mouvement citoyen international visant à créer du lien entre personnes réfugiées et société d'accueil
www.singafrance.com

WINTEGREAT
Programme ayant pour but de redonner vie aux projets professionnels des personnes réfugiées
www.wintegreat.org

FONDS DE DOTATION MERCI
Organisme ayant pour objet d'agir en faveur de la cause des enfants dans le monde en œuvrant à l'amélioration de leurs conditions de vie, notamment sur les plans sanitaires, sociaux, éducatifs et culturels.
www.merci-merci.com/fr/fonds-dotation

REMERCIEMENTS

Éléonore, pour ses conseils toujours aussi précieux,
Alix, pour sa confiance renouvelée,
Julie, pour son œil de lynx,
ainsi que
Marie-France, Mohammad, Catherine, Richard,
Guillaume, David, Antoine, Marguerite, Théo,
Philomène, Alban, François, Bruno, les deux Julien,
Thomas, Jean, Thibault, Nathalie, Soizic, Florence,
Laure et Tatiana

Nᵒ d'édition : L.01ELJN000824.A005
Dépôt légal : mars 2018

Cet ouvrage a été mis en page par IGS-CP
à L'Isle-d'Espagnac (16)

Imprimé en France par CPI
en juillet 2019

N° d'impression : 153955